Reading & Interpretation
大家写小书·马恩经典著作新读

丛书主编 董振华

无产阶级斗争的策略

《1848年至1850年的法兰西阶级斗争》新读

张邦辉 著

红旗出版社

图书在版编目(CIP)数据

无产阶级斗争的策略 :《1848年至1850年的法兰西阶级斗争》新读 / 张邦辉著. —北京 : 红旗出版社, 2022.3

(大家写小书 / 董振华主编. 马恩经典著作新读)

ISBN 978-7-5051-5287-8

Ⅰ.①无… Ⅱ.①张… Ⅲ.①马克思主义理论—阶级斗争—研究 Ⅳ.①A811.64

中国版本图书馆CIP数据核字(2022)第021067号

书　　名　无产阶级斗争的策略

《1848年至1850年的法兰西阶级斗争》新读

著　　者　张邦辉

责任编辑	丁　鋆	丛书统筹	丁　鋆
文字编辑	汪佳梅	责任印务	金　硕
装帧设计	戴　影	责任校对	沈云才　吕丹妮
出版发行	红旗出版社		
地　　址	北京市沙滩北街2号	邮政编码	100727
	杭州市体育场路178号	邮政编码	310039
编 辑 部	0571-85310806		
E - mail	rucdj@163.com	发 行 部	0571-85311330
图文排版	杭州兴邦电子印务有限公司		
印　　刷	杭州广育多莉印刷有限公司		
开　　本	889毫米×1194毫米	1/32	
字　　数	76千字	印　　张	3.375
版　　次	2022年3月第1版	印　　次	2022年3月第1次印刷
ISBN 978-7-5051-5287-8		定　　价	20.00元

把读马克思主义经典当作生活习惯

（丛书序）

习近平总书记在纪念马克思诞辰200周年大会上的讲话中强调："共产党人要把读马克思主义经典、悟马克思主义原理当作一种生活习惯、当作一种精神追求，用经典涵养正气、淬炼思想、升华境界、指导实践。"阅读马克思主义经典著作对于广大党员干部树立正确的世界观、人生观和价值观，从而以科学的世界观和方法论分析问题、解决问题和推动工作，具有重大的意义。

一、通过阅读马克思主义经典，感悟马克思主义经典作家的崇高价值追求，不断升华思想境界

人的自然生命总是有限的，作为自然的人，历史上的伟人不可能再对我们耳提面命，但是，他们的灵魂不朽，作为我们的精神导师，他们可以穿越时空对我们谆谆教诲。我们和伟人对话的方式，就是阅读他们撰写的经典，去感悟经典中所承载的不朽灵魂和伟大人格。马克思主义经典作家虽然已经远去，但是他们的精神和思想是不朽的，通过他们所创造的事业而生生不息，通过他们的经典著作而天长地久。正如《道德经》所言："不失其所者久，死而不亡者寿。"我们通过反复阅读马克思主义经典作家留下的经典著作，和他们心灵共鸣、灵魂

共振，接受马克思主义智慧和道义的滋养，不断升华思想境界，走向崇高，活出生命的意义和价值。

马克思主义经典作家作为人类解放的"盗火者"，为了给人类带来光明，历尽千辛万苦，仍然不屈不挠，奋斗不息，成就了伟大的人生。马克思在参加中学毕业考试的时候写下的作文《青年在选择职业时的考虑》中指出："如果我们选择了最能为人类而工作的职业，那么，重担就不能把我们压倒，因为这是为大家作出的牺牲；那时我们所享受的就不是可怜的、有限的、自私的乐趣，我们的幸福将属于千百万人，我们的事业将悄然无声地存在下去，但是它会永远发挥作用，而面对我们的骨灰，高尚的人们将洒下热泪。"[①]从马克思的这篇作文中，我们可以强烈地感受到他伟大的人格和崇高的价值追求，能够明白什么样的生命才是有意义和价值的，才能够坚定理想信念，升华精神境界。马克思的生命实践充分彰显了伟人的灵魂和精神价值，也成就了马克思光辉的人生，受到了人们的普遍敬仰和尊敬。

正如习近平总书记在纪念马克思诞辰200周年大会上的讲话中所指出的："马克思的一生，是胸怀崇高理想、为人类解放不懈奋斗的一生。""马克思一生饱尝颠沛流离的艰辛、贫病交加的煎熬，但他初心不改、矢志不渝，为人类解放的崇高理想而不懈奋斗，成就了伟大人生。"

---

①《马克思恩格斯全集》第1卷，人民出版社1995年版，第459—460页。

二、通过阅读马克思主义经典，学习马克思主义经典严谨的论证逻辑，掌握科学思想方法

一个理论如果缺乏严密的逻辑论证，要么是停留于空洞无物的无病呻吟，要么是停留于盲目自大的独断空论，这是苍白无力的，是不能够让人真服、真信的。我们通过阅读马克思主义经典，可以得出这样的深切感受：他们不是高高在上向人们颁布真理，而是通过铁的逻辑一步步严谨论证，最终的结论是自然而然在字里行间得出并呈现给读者，从而能够说服人、打动人、鼓舞人，让人们真懂、真信、真用，这是逻辑的力量！

我们阅读《共产党宣言》就能够强烈感受到这种逻辑的力量。马克思、恩格斯站在历史唯物主义的客观立场，对资本主义及其繁荣的景象进行了绘声绘色的描绘，对资本主义制度的历史贡献和历史合理性进行了充分肯定。在充分肯定的基础上，却得出了彻底否定的结论。这里所运用的逻辑就是辩证法。根据辩证法的逻辑，“辩证法在对现存事物的肯定的理解中同时包含对现存事物的否定的理解”，资本主义造就了如此巨大的生产力，极大地推动了历史的发展和社会的进步，但是，这也恰恰是资本主义必然要退出历史舞台的内在原因。因此，资本主义的合理性只是历史的合理性，也就是说，这只是有一定的前提和界限的合理性，只是在人类历史进程中的某一阶段具有合理性，超过了这个阶段必然丧失合理性。为此，《共产党宣言》指出：“资产阶级用来推翻封建制度的武器，

现在却对准资产阶级自己了。”[①]“资产阶级的关系已经太狭窄了，再容纳不了它本身所造成的财富了。”[②]因此，资本主义和资产阶级应该灭亡了，也必然会灭亡，“资产阶级的灭亡和无产阶级的胜利是同样不可避免的”[③]。资本主义必然灭亡，但是，这并不意味着它会自动灭亡，“共产党人不屑于隐瞒自己的观点和意图。他们公开宣布：他们的目的只有用暴力推翻全部现存的社会制度才能达到”[④]。

由此我们可以看到，无产阶级必须通过革命手段实现人类解放的根本价值追求，这一科学结论不正是在辩证法严密逻辑的基础上经过充分论证而得出来的吗？我们阅读马克思主义经典，就要学习这样的科学思想方法，在理论宣传和群众工作中力求做到言之有理、持之有故、以理服人，才能够让人们真信、真服，从而用科学的理论和崇高的价值说服人、凝聚人。

三、通过阅读马克思主义经典，体悟马克思主义经典蕴含的强烈问题意识，善于聆听时代声音

马克思主义经典作家撰写著作，并不是为了学术上的建树和理论上的兴趣，而是为了人类解放这一根本价值主题，针对时代问题而撰写的，因此，马克思主义经典著作蕴含着深刻的问题意识。我们阅读马克思主义经典著作，就必须深入到

①《共产党宣言》，人民出版社2018年版，第34页。
②《共产党宣言》，人民出版社2018年版，第33页。
③《共产党宣言》，人民出版社2018年版，第40页。
④《共产党宣言》，人民出版社2018年版，第65页。

这些著作撰写时的历史语境中，用强烈的问题意识把握这些经典著作所针对的时代问题，否则就容易陷入教条主义，至多成为一个只会夸夸其谈的“理论家”。

每个时代都有属于自己的时代问题，牢牢抓住这个时代问题，用强烈的问题意识准确地把握时代问题的本质，并找到解决时代问题的价值选择和理性方法，这是马克思主义经典作家在进行经典创作时的出发点。我们在阅读马克思主义经典的时候，应当通过回到当时的时代语境，进行视界融合，体悟当时人类现实生活的生存境遇、价值诉求等层面凸显出来的矛盾与问题，去学习马克思主义经典作家对这些时代问题进行深度研究、审视与批判所运用的逻辑和方法，映照当今的时代问题，从而得到启发和方向。

各级领导干部阅读马克思主义经典著作要在思想与时代问题的互动对话中完成，就必须把握时代脉搏，强化问题意识，正确审视当代社会发展中的问题与困境。马克思主义的基本原理为我们的实践活动提供了总的指导思想、根本原则和根本方法，但是，它没有提供解决问题的现成答案，必须由我们自己在坚持马克思主义立场、观点、方法的基础上，创造性地探索和解决这些问题。

毋庸置疑，广大党员干部对于阅读马克思主义经典的重要性基本形成了一种共识，但是面对纷繁复杂的社会环境、繁杂繁重的日常工作以及浩如烟海的经典著作，党员干部如何才能亲近经典、深入经典、融入经典呢？本着“学马列要精，要管用”的原则，丛书第一辑我们选定了10本经典著作，由红旗文稿杂志社顾保国社长主编，组织国内著名高校的权威专家进行精心解读，出版之后社会反响强烈，不断收到读者反馈，要求我们继续编撰出版相关著作；丛书还入选了国家新闻出版署组织实施的2020年“优秀通俗理论读物出版工程”。这既是对我们工作的肯定和鼓励，也是对我们的鞭策和激励，更是我们理论工作者义不容辞的责任和使命。正是基于这样的考虑，我们在第一辑的基础上，秉持同样的理念又选定了10本经典著作，组织权威专家进行解读，并由红旗出版社编辑出版“大家写小书·马恩经典著作新读”第二辑，希望为马克思主义大众化作一点力所能及的贡献，不辜负大家的期望和伟大的时代。必须实事求是地指出，马克思主义经典著作内容博大精深，而我们对其的学习和领悟只能是冰山一角、高山仰止。鉴于我们的学术水平和认知能力有限，肯定存在解读不准确甚至错误的地方，敬请各位读者不吝指正！

中共中央党校（国家行政学院）
哲学教研部副主任、教授　董振华

2021年10月

目　录

前 言

1848年，欧洲大陆爆发了一场革命风暴，席卷法国、德国、奥地利、意大利等国。这场风暴有力地打击了封建专制制度，为资本主义发展扫清了道路。在法国，巴黎二月革命推翻了奥尔良王朝，成立了临时政府。巴黎工人和革命群众作为主力军参加了革命，但二月革命的胜利果实却为资产阶级所窃取。《共产党宣言》的发表标志着马克思主义的诞生。马克思、恩格斯密切关注革命形势的发展，直接指导和参加了法国革命和德国革命，科学总结了革命的经验教训，发展了马克思主义的革命理论。

《1848年至1850年的法兰西阶级斗争》（后文称《法兰西阶级斗争》）是马克思总结法国1848年革命的经验而写成的重要著作。在书中，马克思运用历史唯物主义理论，对法国1848年“二月革命”“六月起义”等重大事件进行了分析，明确地表述了无产阶级革命斗争的理论与策略，明确提出“工人阶级专政”。马克思明确表示，无产阶级进行革命的战斗口号是：“推翻资产阶级！工人阶级专政！”是否高举并坚持这一口号，是区分革命的社会主义与各种空论的社会主义的界限。革命的社会主义就是要宣布不断革命，也就是无产阶级的阶级专政。马克思还揭示了劳动权的科学内涵：劳动权就是支配资本的权力。恩格斯评价这是“第一次提出了世界各国工人政党都一致用以扼要表述自己的经济改造要求的公式，即：生产资料归社会所有”[①]。马克思在书中还提出了“革命是历史的火车头”的著名论断，也阐明了建立工农联盟的思想。

《法兰西阶级斗争》是一部标志性的重要著作，不仅在马克思主义发展史和哲学史上有着极其重要的地位和意义，而且在如何运用马克思主义基本原理认识和分析社会历史事件上有示范作用，同时为马克思主义中国化提供了宝贵的思想资源。习近平同志指出：“中国共产党为什么能，中国特色社会主义为什么好，归根到底是因为马克思主义行！”[②]

---

①《马克思恩格斯选集》第4卷，人民出版社2012年版，第381页。

② 习近平：《在庆祝中国共产党成立100周年大会上的讲话》，人民出版社2021年版，第13页。

第一章
写作背景

1848年革命是马克思主义发展史上的一个重要事件，在此期间，欧洲大陆以法国为代表，许多国家都发生了革命性的事件。这些革命的性质属于资产阶级民主革命，但无产阶级始终参与其中，受到了很好的革命的锻炼和洗礼。

由于革命进程中革命成果为资产阶级所窃取，无产阶级和广大劳动者的政治地位和困难处境并没有得到改善，而“在二月街垒战中产生出来的临时政府，按其构成成分必然反映出分享胜利果实的各个不同的党派。它只能是各个不同阶级间妥协的产物，这些阶级曾共同努力推翻了七月王朝，但他们的利益是互相敌对的”[①]。资产阶级、小资产阶级、无产阶级和农民联合起来反对封建贵族的剥削和压迫，但在革命后，这又造成各种力量之间复杂而又矛盾的相互关系。无产阶级并没有获得应有的利益。

面对这些复杂的情形，应该怎么认识？马克思同恩格斯一道，通过对革命进程中一系列事件的分析、评论，为无产阶级的解放指明了方向，为无产阶级政党的斗争策略展开了明晰的表述。

一、1848年欧洲革命爆发的社会历史条件

在马克思主义发展进程中，19世纪发生了两件重大事件：1848年的欧洲革命和1871年的巴黎公社成立。这两件同无产阶级有密切关系的大事件成为继《共产党宣言》之后检验和判断马克思主义理论，尤其是历史唯物主义科学性的

①《马克思恩格斯选集》第1卷，人民出版社2012年版，第451页。

重要实践。《法兰西阶级斗争》一书的写作就是以1848年革命为背景。

（一）资产阶级同封建残余势力的斗争

1848年革命是1848年发生在欧洲，以法国为代表的一场资产阶级民主性质的革命。这场革命的特殊性在于，革命的参加者有三方：封建阶级、资产阶级和无产阶级。革命的结果是：封建阶级，主要是封建残余势力遭到毁灭性打击，资产阶级巩固了自己的统治地位，无产阶级以独立的政治力量登上历史舞台。这三方中，受益最大、最直接的是资产阶级，这是一场资产阶级性质的革命，而不是无产阶级性质的革命，无产阶级在革命中经受了锻炼。恩格斯的评价是：“1848年革命虽然不是社会主义革命，但它毕竟为社会主义革命扫清了道路，为这个革命准备了基础。”[①]

1848年之前，虽然资本主义在欧洲已经有很大的影响力，但并没有在全欧洲实现，而是处于不断上升的过程中。也就是说，在欧洲，资本主义并不处于绝对占优势的地位，并没有彻底摧毁封建秩序。不仅如此，欧洲的封建秩序还比较严重地阻碍着资本主义的发展。于是，代表新的进步的社会要求的资本主义经济发展，同代表旧的反动的社会要求的封建主义之间必然爆发尖锐的冲突，这种冲突从根本上决定了欧洲近代历史发展的进程。冲突必然产生矛盾，而矛盾的解决只有一种办法，那就是革命。事实证明，正是两大阶级、两种社会之间的冲突，促使19世纪上半叶资产阶级革命运动高涨。

---

①《马克思恩格斯选集》第1卷，人民出版社2012年版，第397页。

19世纪20年代，西班牙和意大利发生资产阶级革命。1830年法国七月革命爆发。七月革命是欧洲历史的重要转折，它推翻了波旁王朝的统治，在欧洲各国引起了一系列革命运动。在尼德兰、波兰、德国、英国、奥地利、俄国等国家相继爆发了民族起义或发生了资产阶级革命，形成了欧洲范围内的革命形势。革命表明，资本主义要得到充分发展，只有通过激烈的社会变革才能实现。1848年欧洲革命达到并且实现了它的目的。

法国资产阶级之所以被迫发动革命，马克思认为，法国"1845年和1846年的马铃薯病害和歉收"，英国1847年"普遍的工商业危机"，是"两起世界性的经济事件"。[1]它们引发了一系列连锁性的经济危机，经济危机又引发政治危机。金融贵族的专制统治使社会普遍不满意。所有这些情况，说明了"巴黎资产阶级中间这一部分人破产的很多，他们也因此而在二月事变中采取了革命行动"[2]。

（二）无产阶级独立登上历史舞台

资本主义的快速发展加剧了资产阶级同封建阶级之间的冲突，同时还造就一个新的、同资产阶级又形成对立的阶级，即无产阶级。因此，1848年欧洲革命的实际参加者不是两个阶级，而是三个阶级：封建阶级、资产阶级和无产阶级。这也是1848年革命的一大特点。

无产阶级是大工业时代的产物，基于这一点，它在革命中是同资产阶级站在一起共同反对封建统治的。但由于资本主

① 参见《马克思恩格斯选集》第1卷，人民出版社2012年版，第449—450页。

②《马克思恩格斯选集》第1卷，人民出版社2012年版，第450页。

义制度下的雇佣劳动制，又使无产阶级陷入极端贫困之中，这就导致了无产阶级同资产阶级之间的对立，推动无产阶级要同资本主义的剥削作斗争，这使得资产阶级在同封建阶级作斗争的时候既要依靠无产阶级，但又不会真正同无产阶级结盟，而且在革命胜利之后，资产阶级立即会将斗争的矛头转向无产阶级。当然，无产阶级要充分利用资本主义生产这一广大的活动场所，来学会同资产阶级作斗争，提高自己的组织性和自觉性，以争取在最后的决战中战胜资产阶级。

19世纪30年代至40年代，在欧洲一些资本主义发展得较早的国家，如英国、法国、德国等，无产阶级的阶级意识开始觉醒，形成了自己独立的阶级意识，逐渐发展成为巨大的政治力量，其斗争明显地从经济斗争转向政治斗争。1831年和1834年法国里昂工人起义，1836年至1848年英国宪章运动，1844年德国西里西亚纺织工人起义，是无产阶级走向成熟的标志，表明无产阶级已经能够以独立政治力量的形式登上历史舞台，无产阶级革命的时代也即将来临。恩格斯在《共产党宣言》的1888年英文版序言中也明确地表明了这一观点。他指出，由于1848年以来资本主义大工业的巨大发展，由于法国二月革命的“实际经验”，工人阶级的组织状况有了“改进和增长”。[①]

（三）民族矛盾的激化

在引发1848年革命的因素中，除了资产阶级联合无产阶级同封建残余势力作斗争，无产阶级作为独立的政治力量登上历史舞台之外，还有一个重要因素，那就是民族矛盾的激

① 参见《马克思恩格斯选集》第1卷，人民出版社2012年版，第386页。

化。这一矛盾既表现在各个民族之间矛盾冲突的加剧，更表现在压迫民族和被压迫民族之间矛盾的日益尖锐。

当时还处于封建专制状态的一些东欧国家，资本主义的发展受到本国封建统治者的压制，也受外国的民族压迫和侵略。民族矛盾和阶级矛盾又交织在一起，这是革命发生的更加广泛的现实因素。

二、新的社会实践对唯物史观的要求

马克思主义在19世纪形成和发展，同社会历史的现状有着直接的关联。正是19世纪的社会历史、政治、经济、科学技术以及人类思想的累积，才有了马克思主义的产生。但一种新学说要被社会所广泛承认，则它必须能够回答现实的问题，或者，它能够对当下所发生的事件给予准确的解释和回答。在这一双重要求之下，马克思和恩格斯在《德意志意识形态》中创立了"新"唯物主义，"新"世界观，即历史唯物主义。历史唯物主义作为科学的世界观，在《共产党宣言》中得到了系统的阐发，它还需要更多的检验，还要回答更多的社会问题，还需要更多的"试金石"。1848年的欧洲革命，就成了马克思主义又一块"试金石"。

（一）对历史唯物主义的检验

1848年革命虽然是一场资产阶级民主革命，但同既往的资产阶级革命相比，有其自身的历史特点。新兴的无产阶级作为独立的政治力量，在一场资产阶级革命中留下了自己的烙印。资产阶级在革命中虽然联合了无产阶级，但因为害怕无产阶级，所以其革命性大打折扣。民族矛盾和阶级矛盾交织，甚至上升为主要矛盾，使得革命进程中矛盾更加错综复杂。这些特殊情形，对历史唯物主义提出了许多新的要求。马克思、恩格斯立足这些条件和特殊情形，展开了对革命规律的研究，估计革命的一般进程，为无产阶级制定革命的策略和纲领，从思想上引导无产阶级走在革命的前列。同时，又根据革命的进程总结革命的经验教训，丰富和完善历史唯物主义的基本原理，把马克思主义理论发展到新的阶段。

马克思主义新世界观的创立，为革命理论的研究提供了科学的方法和指导思想。新世界观科学揭示了革命形成的主客观条件，从而为区分资产阶级革命和无产阶级革命的不同性质，无产阶级在参加资产阶级革命中的策略，无产阶级革命的道路、方式等重要理论问题奠定了正确的基础。因此，1848年欧洲革命在马克思主义发展史上有着特殊的意义。

马克思主义理论在1848年革命中发挥了重大作用，影响着无产阶级革命的进程，成为指导无产阶级革命的纲领和策略。马克思主义理论也在革命进程中得到检验，唯物史观的一些基本原理，尤其是关于革命的一些基本理论，都经过了革命实践的检验，并被证明是科学的理论。无产阶级也坚信马克思主义是他们获得最终解放的科学思想武器，在1848年革命给了各种喧嚷叫嚣、五花八门的社会主义流派致命打击之后，马克思主义在无产阶级运动中的领导地位最终确立。

（二）历史唯物主义发展的动力

1848年欧洲革命的发生及其所表现出来的特点，对历史唯物主义的发展提出了新的要求，为马克思主义理论，尤其是历史唯物主义的发展提供了强大的动力。这些推动历史唯物主义发展的新要求和强大动力有：其一，马克思主义要科学地阐明阶级和阶级斗争的形成、实质，以及在社会发展中的作用。要阐明社会革命的起因、社会效应和历史作用。要阐明革命的类型、发展过程、一般规律。以这些“阐明”为起点完善和发展马克思主义关于社会动力和发展进程的理论。其二，马克思主义要阐明无产阶级对待国家问题的基本观点。要阐明资产阶级国家的本质，无产阶级对待资产阶级国家的态度以及摧毁它的现实路径，要阐明无产阶级专政的过渡性的特点。其三，马克思主义要科学地阐明历史主体的创造性、能动性和历史规律的制约性、决定性之间的关系。要阐明形成历史主体的社会基础，个人和阶级的社会特征。要阐明群众和个人的历史创造作用。其四，马克思主义要科学地阐明社会意识发展的规律和特点；要阐明社会意识和社会存在相互作用的具体过程；要阐明无产阶级独立意识形成的社会基础和历史作用；要阐明传统思想观念对现实社会构成影响的本质和原因。其五，由于前面四个方面的要求，要求马克思主义有科学的方法，能够在错综复杂的历史事件及其进程中深刻地把握事物的本质及其规律，既帮助人们正确认识历史事变，也对参与历史活动的主体，特别是无产阶级，给予科学的指导，以实现自己阶级的各种愿望。

延伸阅读

（1）习近平：《在哲学社会科学工作座谈会上的讲话》，人民出版社2016年版。

（2）［法］傅勒：《马克思与法国大革命》，华东师范大学出版社2016年版。

深度思考

（1）1848年欧洲革命在马克思主义发展史上有何作用？

（2）欧洲为什么会在1848年爆发资产阶级民主性质的革命？

Reading & Interpretation
大家写小书·马恩经典著作新读

第 二 章
内容介绍

一、全书的基本结构

《1848年至1850年的法兰西阶级斗争》一书由马克思在《新莱茵报。政治经济评论》上发表的一组文章组成。写作时间是1849年底—1850年3月底和1850年10月—11月1日。马克思计划中有4篇文章:《1848年的六月失败》《1849年6月13日》《6月13日在大陆上产生的后果》和《英国的现状》,但在《新莱茵报》的第1,2,3期上只发表了其中的3篇文章,题目分别是:《1848年的六月失败》《1849年6月13日》和《1849年六月十三日事件的后果》。马克思为这3篇文章用了一个总标题:《1848年至1849年》。关于1849年六月事件对欧洲大陆的影响以及英国的状况,马克思和恩格斯在《新莱茵报》的其他文章中,尤其在二人合写的时评中进行了阐述。

1895年,恩格斯将马克思的这一组文章结集成册,在柏林出版单行本,并将总标题改为《1848年至1850年的法兰西阶级斗争》,也就是现在通用的书名。在编校过程中,恩格斯增添了第四章。这一部分是《新莱茵报。政治经济评论》第5—6期合刊发表的《时评。1850年5—10月》中有关法国事件的部分。编校时,恩格斯为这一章加了标题:《1850年普选权的废除》。相应地,恩格斯也将前三章的标题作了改动,分别改为:《从1848年2月到1848年6月》《从1848年6月到1849年6月13日》《从1849年6月13日到1850年3月10日》。同时,恩格斯于2月14日—3月6日为单行本写了导言,题目是《卡·马克思〈1848年至1850年的法兰西阶级斗争〉一书导言》。[1]恩格斯认为，如此一来，“就真正使得这部著作完整了，否则小册子将显得残缺不全”[2]。

根据上述情况，中文版《马克思恩格斯选集》《马克思恩格斯全集》和《马克思恩格斯文集》中关于本书的结构都安排为四章，具体目录如下[3]：

一、1848年的六月失败

二、1849年6月13日

三、1849年六月十三日事件的后果

四、1850年普选权的废除

恩格斯为单行本所写的《导言》没有收录其中。这部著作的第一个中译本由柯柏年译出，1942年延安解放社出版，书名是《法兰西阶级斗争》，连同恩格斯的《导言》一起收录于该书之中。因此在本书中，也使用《法兰西阶级斗争》这一书名。

知识链接

★《新莱茵报》★

马克思大学毕业后曾在《莱茵报》工作过。《新莱茵报》是马克思和恩格斯创办的一份杂志的总称，由《新莱茵报。民主派机关报》和《新莱茵报。政治经济评论》组成，后者是前者的续刊。《新莱茵报。民主派机关报》是德国1848—1849年革命时期民主派中无产阶级一

① 参见《马克思恩格斯选集》第4卷，人民出版社2012年版，第378—399页。

②《马克思恩格斯文集》第10卷，人民出版社2009年版，第685页。

③ 参见《马克思恩格斯选集》第1卷，人民出版社2012年版，《目录》。

翼的机关报，于1848年6月1日—1849年5月19日在科隆出版，主编是马克思，参加编辑部工作的有恩格斯、威·沃尔夫等。报纸在教育和鼓舞人民群众上起到了作用。《新莱茵报。政治经济评论》是共产主义者同盟的理论和政治刊物，由马克思和恩格斯于1849年12月创办，从1850年3月至11月底共出版6期，第5、6两期为合刊。杂志在伦敦编辑，在汉堡印刷。杂志封面上标注的出版地还有纽约。1850年11月，在反动势力的迫害和资金缺乏的双重压力下，杂志停刊。

二、全书内容概观

在马克思主义纲领性文献《共产党宣言》里，马克思和恩格斯开宗明义：人类有文字记载以来的历史“都是阶级斗争的历史”。但在资本主义社会以前，因为阶级关系的复杂，阶级斗争也是错综复杂的。而资产阶级时代却使复杂的关系“简单化”了：**“整个社会日益分裂为两大敌对的阵营，分裂为两大相互直接对立的阶级：资产阶级和无产阶级。”**[①]这样，马克思主义中的阶级斗争学说以一般规律的方式得以表述。但是，在1848年革命时期，阶级对抗还没有“简单化”到资产阶级和无产阶级的两大阶级对抗，而是存在资产阶级、无产阶级、封建残余势力等多阶级共存的情形。在此种情况下，阶级分析就不能仅仅依靠抽象的一般原理，而必须对现有的社会关系和阶级关系进行深刻的解剖，才能真正认识清楚1848年时期阶级斗争的特点，探讨革命的进程等根本性问题。马克思通过对1848年革命时期阶级斗争和社会革命的系统阐述和总

①《马克思恩格斯选集》第1卷，人民出版社2012年版，第401页。

结，完善和发展了历史唯物主义中关于社会动力和发展的理论，对阶级斗争学说作出了新的贡献。在《法兰西阶级斗争》一书中，马克思关于阶级斗争学说的主要贡献表现在对无产阶级革命斗争的理论和策略的论述，划清革命的社会主义同各种空想的社会主义的界限，揭示了劳动权的科学内涵，提出了“革命是历史的火车头”的著名论断；论述了建立工农联盟的思想等方面。

（一）无产阶级斗争理论与策略的论述

众所周知，关于阶级斗争的理论在马克思主义理论，特别是历史唯物主义中占据着重要的地位，但对阶级和阶级斗争的最早描述并不是从马克思开始的。在马克思之前，法国的历史学家，如梯叶里、米涅、基佐等，英国的古典政治经济学家大卫·李嘉图等，都对阶级和阶级斗争作过分析和论述。马克思和恩格斯在分析和批判上述思想家思想的基础上，吸收其合理的内容，形成历史唯物主义中关于阶级斗争和社会革命的全新内容。

1848年革命使马克思对阶级和阶级斗争有了完全不同于以往思想家的认识，马克思认真分析、归纳了这些新的认识，得出了属于他自己的，也使得历史唯物主义能够完全不同于过去历史理论的思想。这一思想反映在《法兰西阶级斗争》一书中一个突出的表现，就是依据1848年革命的特点，对无产阶级斗争的理论和策略进行了专门的论述。

1848年革命是资产阶级民主革命，革命者是资产阶级和无产阶级，革命对象是封建残余势力。这场革命的最大特点是无产阶级以独立的政治力量走上欧洲社会革命的历史舞台。所以，革命从爆发的那一天开始，就存在着向两个方向发展的可能性：向资产阶级方向发展和向无产阶级方向发展。资产阶级当然希望革命向着资产阶级方向发展，成为一场资产阶级革命；无产阶级自然也希望革命朝着无产阶级方向发展，直接成为一场无产阶级革命。面对可以"选择"的情况，马克思和恩格斯虽然从心底希望革命是朝着无产阶级方向发展，成为无产阶级的革命，无产阶级因为这场革命而得到彻底解放，但事实并不如此简单。

1848年革命是一场复杂的革命，革命的参加者除了无产阶级和资产阶级，还有封建残余势力；革命过程中无产阶级同资产阶级是同盟者，虽然资产阶级并不完全信任无产阶级；无产阶级虽然是一支独立的政治力量，但毕竟是第一次登上历史舞台。因此，要对革命爆发的社会历史条件进行具体的分析，要对革命中无产阶级面临的形势有充分的认识，然后，无产阶级才能明确自己在这场革命中的使命。而这，需要理论的指导，是革命的策略问题。马克思在《法兰西阶级斗争》中对此作了深入的分析。

1848年欧洲革命爆发之前，关于阶级斗争所涉及的根本问题是：在欧洲范围内应否进行彻底的资产阶级革命？资产阶级革命同无产阶级革命的关系是怎样的？面对这些问题，当时的小资产阶级社会主义者的答案是：根本不必进行资产阶级革命，直接实现全社会的解放即可。资产阶级激进主义者的回答是：立即进行资产阶级革命，推翻封建专制统治。面对这两种根本对立的错误观点，马克思明确表示坚决反对的态度，科学地阐明了在欧洲要尽早完成资产阶级革命，再及时向无产阶级革命转变的思想。同时，无产阶级在资产阶级革命中要争取领导权，无产阶级在资产阶级革命中应当采取相应的革命策略。马克思说道，无产阶级“同资产阶级的斗争只有在资产阶级胜利之日才能开始”①，因此，无产阶级“不仅能够而且应当参加资产阶级革命，因为这个革命是工人革命的前提”②，但却“丝毫也不能把资产阶级革命当作自己的最终目的”③。马克思在这段话里既表明了资产阶级革命同无产阶级革命的关系，也阐明了无产阶级在参加资产阶级革命进程中以及在认识上对待资产阶级革命的基本策略。这也是马克思主义关于社会革命的历史与辩证法相统一思想的具体体现。

革命爆发之后，随着斗争的展开和阶级矛盾的显露，马克思更加清楚地认识到，在同资产阶级一道进行反封建的资产阶级革命过程中，无产阶级应该反对什么，又应该坚持什么，这是一个策略问题，不能轻易地主观选择，甚至草率从事。

通过对革命展开过程的分析，马克思得出结论：无产阶级在1848年革命中，首先要同资产阶级一道，完成资产阶级革命。马克思的这一思想中包含两层意思：必须坚决反对资产阶级的统治，因此，无产阶级同资产阶级之间是不可调和的阶级对立关系。无产阶级以“分裂现代社会的两个阶级之间的

---

①②③《马克思恩格斯全集》第4卷，人民出版社1958年版，第347页。（马克思于1847年10月底写了《道德化的批判与批判化的道德。论德意志文化的历史，驳卡尔·海因岑》一文，文中谈到了这里引用的观点。人民出版社1972年版的《马克思恩格斯选集》第1卷收录了该文章，在第162—194页，引文在第186页；人民出版社2012年版的《马克思恩格斯选集》第1卷则没有收录该篇文章。——引者注）

第一次大规模的战斗”[①]的六月起义对资产阶级的统治作出了回答，而“资产阶级一定要用手中的武器来反对无产阶级的要求”[②]，无产阶级和资产阶级之间的矛盾不可调和。同时，无产阶级革命是要在无产阶级同资产阶级一道推翻封建统治，完成资产阶级革命之后，才能发生和进行的。这一点，在无产阶级革命策略中尤其重要。

有鉴于此，马克思判断，法国六月起义的失败有着重要的意义，这一意义就是它造成了无产阶级和资产阶级全面冲突、对立的局面。这使得无产阶级在同资产阶级一道完成资产阶级革命后不会停止不前，不会安于被资本主义剥削压迫的现状，而是要继续斗争，继续革命，不断革命，实现无产阶级的真正解放。

马克思要求无产阶级参加资产阶级革命，然后将其转变为无产阶级革命，这一策略所反映的思想，就是马克思主义思想史上著名的“不断革命”论。同资产阶级一道推翻封建专制统治，这只是资产阶级的革命。要进行无产阶级的革命，就必须将资产阶级革命转变为无产阶级革命，这就是继续革命。依据现实，根据当前的社会历史条件，“选择”革命的盟友及革命的对象，这是马克思指导无产阶级进行阶级斗争的理论；无产阶级要最终解放自己，必须进行革命，而革命又必须分阶段完成，在一个阶段的革命任务完成之后，再进入到下一个阶段，直至无产阶级解放目标的实现，这是无产阶级进行阶级斗争的策略。因此，无论在理论上，还是在策略上，对于无产阶

---

①《马克思恩格斯选集》第1卷，人民出版社2012年版，第467页。

②《马克思恩格斯选集》第1卷，人民出版社2012年版，第466页。

级来说，“问题不在于改变私有制，而只在于消灭私有制，不在于掩盖阶级对立，而在于消灭阶级，不在于改良现存社会，而在于建立新社会”①。所以，无产阶级一直要不断地革命，不断地战斗，直至自己目标的达成。无产阶级的战斗口号就是“不断革命”②。

在《法兰西阶级斗争》中，马克思对“不断革命”论进行了充分的论述。马克思区分革命的社会主义和小资产阶级社会主义的不同之处时认为，革命的社会主义“就是宣布不断革命”③。但是，不断革命并不意味着可以不顾社会历史条件，可以人为地“制造革命”。

尽管马克思和恩格斯一度十分期待无产阶级革命的尽快爆发，但在他们所期待的革命高潮并未如期到来之后，及时根据实际情况纠正原先的判断，重新作出判断：“在这种普遍繁荣的情况下，即在资产阶级社会的生产力正以在整个资产阶级关系范围内所能达到的速度蓬勃发展的时候，也就谈不到什么真正的革命。只有在现代生产力和资产阶级生产方式这两个要素互相矛盾的时候，这种革命才有可能。”④

很显然，马克思在这里的语气已经非常冷静，虽然仍然十分坚定地认为：“新的革命，只有在新的危机之后才可能发生。但新的革命正如新的危机一样肯定会来临。”⑤也就是说，革命一定会发生，但马克思已经不再急迫地希望无产阶级革

①《马克思恩格斯选集》第1卷，人民出版社2012年版，第557—558页。
②《马克思恩格斯选集》第1卷，人民出版社2012年版，第564页。
③《马克思恩格斯选集》第1卷，人民出版社2012年版，第532页。
④⑤《马克思恩格斯选集》第1卷，人民出版社2012年版，第541页。

命就在他的面前发生。

尽管如此，无产阶级要坚持革命是不可更改的策略，虽然无法实现在资产阶级革命之后立即进行无产阶级革命，但无产阶级要积蓄力量，准备革命的主张，仍然是继续革命的思想。

马克思关于不断革命的理论是无产阶级处于成长过程中的一种斗争策略，它代表的是**“共产党人为工人阶级的最近的目的和利益而斗争，但是他们在当前的运动中同时代表运动的未来”**[①]，因而是无产阶级革命策略的一部分。但不是在任何时候都可以不断革命，不断革命也不能永远都是无产阶级革命的策略。

不断革命应该成为一种精神，只要无产阶级革命还没有成功，无产阶级还没有获得真正解放，革命这一让无产阶级走向胜利并获得解放的最有效的途径和工具就应该被无产阶级牢牢掌握并随时加以运用。列宁和毛泽东正是在新的社会历史条件下，即帝国主义条件下、半殖民地半封建条件下，坚持不断革命，实现了从资产阶级民主革命向无产阶级社会主义革命的转变。

知识链接 ……………………………………………………

★ 二月革命 ★

1848年2月，在法国巴黎爆发的资产阶级民主革命，是1848年欧洲革命的重要组成部分。由于代表金融资产阶级利益的“七月王

①《马克思恩格斯选集》第1卷，人民出版社2012年版，第434页。

朝”反对政治、经济改革，阻碍资本主义的发展，加剧对无产阶级和农民的剥削，引发全法国的民情激愤。1848年又遇上农业歉收和经济危机爆发。这一系列的矛盾导致了1848年2月22—24日在巴黎爆发了革命。这便是“二月革命”。革命推翻了“七月王朝”，成立了法兰西第二共和国。无产阶级和小资产阶级都积极参加了这一场革命，但革命的果实被资产阶级全部占据。

（二）无产阶级专政概念的提出和运用

无产阶级专政在马克思主义国家学说中占有重要的地位，马克思在对1848年欧洲革命经验的总结中同样对无产阶级专政思想给予了重要的关注，“无产阶级专政”概念就是在这里第一次提出的。

在《共产党宣言》里，拥有无产阶级的国家被定义为“国家即组织成为统治阶级的无产阶级”[①]。很显然，在这里，“国家问题还提得非常抽象，只用了最一般的概念和说法”[②]，比如究竟应该怎样用无产阶级国家取代资产阶级国家，马克思和恩格斯并没有给出明确的答案。在对1848年革命经验的总结中，马克思对这一问题的具体解决给出了明确的答案，那就是用暴力打碎资产阶级国家机器，建立无产阶级专政。列宁说，这是“马克思主义在国家问题上一个最卓越最重要的思想”[③]。

随着二月革命的发生和六月起义的开展并最终失败，资产阶级同无产阶级的政治冲突日益尖锐。此时，无产阶级必

①《马克思恩格斯选集》第1卷，人民出版社2012年版，第421页。

②《列宁选集》第3卷，人民出版社1995年版，第133页。

③《列宁选集》第3卷，人民出版社1995年版，第129页。

须明确自己所肩负的历史重任。于是,“原先无产阶级想要强迫二月共和国予以满足的那些要求,那些形式上浮夸而实质上琐碎的、甚至还带有资产阶级性质的要求,就由一个大胆的革命战斗口号取而代之,这个口号就是:推翻资产阶级！工人阶级专政!”[①]这是马克思第一次明确使用“无产阶级专政”(虽然马克思用的是“工人阶级”,但很显然,这里的“工人阶级”一词就是“无产阶级”。因此,“工人阶级专政”也就是“无产阶级专政”),也是在马克思主义理论上,无产阶级专政同资产阶级国家机器之间关系联系的开始。

对于无产阶级专政思想的论述,马克思在原则分析的基础上,全面地将无产阶级运动纳入革命的全过程之中进行分析。因此,在革命酝酿和初期,无产阶级肯定没有足够的能力去实现自己的目标,因为“一个一旦奋起反抗便集中体现社会的革命利益的阶级,会直接在自己的处境中找到自己革命活动的内容和材料:打倒敌人,采取适合斗争需要的办法,它自身行动的结果就推动它继续前进”[②]。这一点,当时富有革命性的法国无产阶级也不具备,“法国工人阶级不是站在这样的立足点上,它还没有能力实现自己的革命”[③],还不能在斗争中直接地、明确地提出自己的政治要求。

于是,当二月革命胜利后,法国的工人阶级自然产生错觉,以为革命的结果——二月共和国就是自己的产儿,因此,工人阶级的利益同资产阶级的利益是一致的。结果,当资产阶级的临时政府的每一项政策措施,包括用于巩固其统治的

①《马克思恩格斯选集》第1卷,人民出版社2012年版,第469页。
②③《马克思恩格斯选集》第1卷,人民出版社2012年版,第454页。

政策措施公布时，无产阶级都给予了热烈的欢迎。好在最终工人阶级还是认清了资产阶级的伎俩和目的。接下来的六月革命的爆发也就成了顺理成章的事情。虽然这一革命以无产阶级的失败告终，但却是现代社会中两大对立阶级之间的第一次真正交锋。革命失败的原因是在革命开始时就注定了的，“在资产阶级与无产阶级之间行将来临的搏斗中，一切优势，一切最重要的阵地，社会的一切中间阶层，都掌握在资产阶级手中”[①]。无产阶级仓促上阵，而且在没有同盟军的情形下孤军奋战，其结果只能是失败。

二月革命和六月起义的事实表明，无产阶级在1848年时想要推翻资产阶级的统治是不现实的，此时任何过高过激的革命主张都是不切实际的幻想，都会后患无穷。不过，在革命无法进行时，也不能什么事都不干。实践无法开展时，因为有先前的实际经验的存在，可以进行理论的探讨。理论与实际相结合，既有理论的分析，也有实际经验的总结，这是马克思一生工作的基本特点。

在二月革命中，无产阶级虽然将资产阶级的目标混同于自己的目标，但却能从自己的阶级属性出发对资产阶级政府的策略措施进行评价并提出要求，能够在主观想象上超出资产阶级共和国的范围，迫使临时政府宣布共和国为“设有社会机构的共和国”[②]。无产阶级还明确提出了自己的经济要求：“组织劳动！成立专门的劳动部！”[③]设立专门的常设委员会，

①《马克思恩格斯选集》第1卷，人民出版社2012年版，第463页。

②③《马克思恩格斯选集》第1卷，人民出版社2012年版，第453页。

以“负责探求改善工人阶级状况的办法”[①]。这个常设的委员会叫卢森堡宫委员会。这个委员会有着明显的局限性，但马克思还是中肯地评价了它的历史进步作用：“由巴黎工人创造出来的卢森堡宫委员会总算还有一个功劳，这就是它从欧洲的一个讲坛上泄露了19世纪革命的秘密：无产阶级的解放。”[②]

二月革命后，临时政府开办了“国家工场”。“国家工场”这一工厂形式是由卢森堡宫委员会提出来的带有解决资产阶级和无产阶级对立性的劳动场所。在其实际运行过程中，一方面它降低了社会主义的要求，使社会主义的名声受到损害，它“竟成了实现社会主义的第一步，于是，社会主义就一起被钉在耻辱柱上了”[③]；另一方面，“国家工场”毕竟体现了资本主义社会里两大对抗阶级之间矛盾的不可调和，所以，马克思评论道：“如果不是就内容来说，而是就名称来说，国家工场是无产阶级反对资产阶级工业，反对资产阶级信用和反对资产阶级共和国的具体表现。因此，资产阶级把自己的全部仇恨都倾注在这些国家工场上。同时它认定这些国家工场是它一旦强大到能够跟二月革命的幻想公然决裂时就可以加以打击的对象。”[④]

这些事件使无产阶级不断得到锻炼，并且成长壮大。马克思由此认识到无产阶级进行革命、夺取政权是完全可能的。接下来发生在巴黎的六月起义进一步证实了马克思的思

①《马克思恩格斯选集》第1卷，人民出版社2012年版，第453页。

②《马克思恩格斯选集》第1卷，人民出版社2012年版，第455页。

③《马克思恩格斯选集》第1卷，人民出版社2012年版，第462—463页。

④《马克思恩格斯选集》第1卷，人民出版社2012年版，第463页。

想。在这次起义中，无产阶级表现出了极高的政治觉悟和水平：放弃对资产阶级的幻想，明白不能在资产阶级共和国内寻求自己的解放，等等。

在《路易·波拿巴的雾月十八日》中马克思总结道："六月起义者的失败，固然为资产阶级共和国的奠基和建立准备和扫清了基地，但同时它也表明，欧洲的问题并不是争论'共和国还是君主国'的问题，而是别的问题。"[①]显然，这个"别的问题"即是无产阶级专政的问题，即"无产阶级专政"。

恩格斯直接告诫工人：不要满足于一些"小恩小惠"，也不必要求"劳动保护措施"，而是应当"勇敢地立即开展斗争，争取无产阶级的政治和社会的统治地位"[②]，从而使无产阶级"自己来保护自己的劳动"[③]。马克思指出，无产阶级要争取自由，获得解放，唯有无产阶级专政一途。之所以以无产阶级专政为武器，因为必须推翻资产阶级统治，打碎资产阶级国家机器。马克思在1871年写给路德维希·库格曼的信中说道："如果你查阅一下我的《雾月十八日》的最后一章，你就会看到，我认为法国革命的下一次尝试不应该再像以前那样把官僚军事机器从一些人的手里转到另一些人的手里，而应该把它打碎，这正是大陆上任何一次真正的人民革命的先决条件。"[④]用暴力革命的方式打碎资产阶级的国家机器，推翻资产阶级的统治，这是马克思主义阶级斗争学说的基本观点之一，是科学社会主义的基本原理之一，也从根本上区别了无产阶级革命同

---

①《马克思恩格斯选集》第1卷，人民出版社2012年版，第677页。

②③《马克思恩格斯全集》第7卷，人民出版社1959年版，第275页。

④《马克思恩格斯选集》第4卷，人民出版社2012年版，第493页。

资产阶级革命。

无产阶级专政的实现是以无产阶级打碎资产阶级国家机器，建立无产阶级自己的阶级专政来完成的，但这不是无产阶级专政的最终目标。无产阶级专政的最终目标是同阶级消灭相联系的。“阶级消灭”中的“阶级”显然包括人类历史上的所有阶级，自然地，无产阶级也包括在内。在马克思主义历史唯物主义、马克思主义阶级斗争学说中，在关于阶级消灭的思想中，将无产阶级自己也包含在其中，是马克思主义独特的思想气质，更显其理论勇气。

当然，马克思对这一问题的思考并不是在1848年革命时才开始的。马克思明确表示，自《共产党宣言》以来，他就一直认为阶级的消灭同无产阶级夺取政权有着密切的关联，因而无产阶级专政的目的即是“以求达到根本消灭阶级差别，消灭一切产生这些差别的生产关系，消灭一切和这些生产关系相适应的社会关系，改变一切由这些社会关系产生出来的观念”[①]。

马克思在这里清楚地表明，无产阶级同资产阶级展开坚决的斗争，推翻资本主义统治，无产阶级自己夺取政权，建立无产阶级的政治统治，等等，这些都不是无产阶级革命的最终目的。无产阶级革命的最终目的是要“消灭阶级”，以求实现从阶级社会向无阶级社会的转变，因为只有无阶级存在的社会才能称为共产主义社会。

马克思和恩格斯的这些理论既包含了指导当下无产阶级

---

①《马克思恩格斯全集》第7卷，人民出版社1959年版，第378—379页。

斗争的方法，也包含了对未来无产阶级斗争的指引的无产阶级专政理论，直接指导了无产阶级革命运动在1848年以后就进入到新的阶段，达到新的高度。工人阶级开始认识到自己阶级同资产阶级对立的不可调和性，认识到无产阶级夺取政权的重要性和必要性。对此，恩格斯在总结时清楚地表明："工人阶级根据自己的经验深深地相信，他们的地位要得到任何可靠的改善，不能够依靠别人，而应当亲自争取，首先应当采取的办法是夺取政权。"[①]马克思则在著名的1852年致魏德迈的信件中，站在人类历史发展的高度，对无产阶级专政的必然性、无产阶级的使命和无产阶级专政的最终目的作了经典的描述。[②]

知识链接

★ 六月失败 ★

"六月失败"也称"六月起义"，指1848年6月发生在巴黎的无产阶级起义。6月22日，资产阶级共和派政府颁布了封闭"国家工场"的法令，激起巴黎工人的强烈反抗。6月23—26日，在4天的英勇斗争之后，起义被残酷镇压。这次起义是无产阶级第一次直接同资产阶级进行的大规模战斗。无产阶级展示了自己的政治和组织能力，显示了自己的力量和光明的前途。马克思对这次起义作了高度评价："这是分裂现代社会的两个阶级之间的第一次大规模的战斗。这是保存还是消灭资产阶级制度的斗争。"

①《马克思恩格斯全集》第7卷，人民出版社1959年版，第274页。
② 参见《马克思恩格斯选集》第4卷，人民出版社2012年版，第425—426页。

（三）革命的历史作用的论述

无论什么时候，革命的发生总是一件重要的历史事件。1848年的欧洲革命由于对资本主义的发展所产生的影响，其作用不可估量；又因为是在马克思主义诞生以后发生，被马克思和恩格斯所关注而尤其引人注目。在所有这些重要性中，马克思所说的一句关于革命的作用的话尤为重要。这句话是："革命是历史的火车头。"[①]这句话是关于革命的历史作用的至理名言，因而常常被人提起；只要讲到马克思主义的革命理论或阶级斗争学说，这句话就必然被引用。

马克思和恩格斯认为，只要是革命，无论是胜利了的革命，还是失败了的革命，都会对社会历史的发展起推动的作用。1848年的革命是"以波澜壮阔的政治形式展开的阶级斗争"[②]，它显然是一场失败了的革命，但它明显地对历史发展起到了推动的作用。马克思认为："在这些失败中灭亡的并不是革命，而是革命前的传统的残余，是那些尚未发展到尖锐阶级对立地步的社会关系的产物，即革命党在二月革命以前没有摆脱的一些人物、幻想、观念和方案，这些都不是二月胜利所能使它摆脱的，只有一连串的失败才能使它摆脱。"[③]

很显然，一场革命的失败涉及的并不一定是革命本身，肯定有同革命相联系的社会关系。正是这种"关系"才会导致阶级对立，进而引发革命的产生。所以，革命只是表现形式，其实质是阶级对立的矛盾的解决。恩格斯更明确地指出："顽强

---

①《马克思恩格斯选集》第1卷，人民出版社2012年版，第527页。

②《马克思恩格斯选集》第1卷，人民出版社2012年版，第328页。

③《马克思恩格斯选集》第1卷，人民出版社2012年版，第445页。

奋战后的失败是和轻易获得的胜利具有同样的革命意义的。”[①]这句话明白地表示出，革命都是有意义的事件，无论其失败还是胜利。

在马克思主义基本原理中，社会发展的展开，也就是革命的发生，通常以两种形式进行：渐进的方式和突变的方式。在渐进阶段，革命的展开以静水深流的方式进行着。由于其表面的风平浪静而不容易让人发现，因而常常被忽视。但这是量变的过程。量变也是在“变”，只要这种“变”最后导致革命的爆发，那它就算是革命的过程。当社会发展处于突变阶段，革命的展开显而易见。这是质变的阶段。质变是所有量的积累的总爆发。质变虽然也是一种“变”，但这种“变”破坏性太大，必然造成现有秩序的破坏，使现有社会稳定状态断裂。一个社会的现存秩序的维护者，通常是统治阶级，是不希望革命发生的。

有鉴于此，对革命的分析和评价就不能简单地以革命产生的直接条件为基础。所以，马克思主义在评价革命时一方面十分重视革命产生的社会历史条件，另一方面又能跳出这一限制，即使是面对失败的革命，也能发现其深远的历史意义。恩格斯深刻地评价道：“正是旧的复杂的社会机体中阶级对抗的这种迅速而剧烈的发展，使革命成为社会进步和政治进步的强大推动力；正是新的党派的这种不断的迅速成长，一个接替一个掌握政权，使一个民族在这种剧烈的动荡时期5年就走完在普通环境下100年还走不完的途程。”[②]马克思特别关

①《马克思恩格斯选集》第1卷，人民出版社2012年版，第634页。
②《马克思恩格斯选集》第1卷，人民出版社2012年版，第595页。

注的1848年革命正是如此，它在短短几年的时间里，在长期缓慢的酝酿之后终于爆发，渐进的量变终于引发激烈的质变，使欧洲资本主义的发展出现重大转折。

1848年革命有力地打击了封建专制制度，为资本主义的发展扫清了道路，推动了无产阶级的成长成熟。1848年首要的任务是推翻封建专制制度，动摇封建农奴制的基础。革命很好地完成了这一任务。革命加速了封建专制的崩溃，也摧毁了反动的欧洲神圣同盟。对此，马克思说道："资产阶级的工业必须打破专制制度和封建制度的枷锁。反对专制制度和封建制度的革命，恰好证明资产阶级的工业已经发展到了紧要关头：不是争得适合于自己利益的国家制度，就是灭亡。"[①]

马克思的估计十分准确，欧洲革命失败却使资本主义经济很快进入到一个繁荣发展的时期。虽然欧洲各国反动派都曾力图恢复封建秩序，但是，革命的推动作用和教育作用是不可估量的，它已经将一个旧社会，即封建专制社会彻底埋葬；一个新的社会，即资本主义社会正在蓬勃生长。这是社会历史发展的规律，不可逆转，也不可抗拒。

1848年革命的另一任务是在动摇封建专制统治的基础上，为资本主义发展，首先是资本主义经济发展创造社会历史条件，同时为资产阶级获得政治统治地位开辟道路。资本主义制度虽然早在17世纪中叶就已在欧洲确立，到19世纪中叶，经过近两个世纪的发展，不但资本主义制度已经成为世界发展的主流，而且在英国、美国，以及在欧洲大陆像法国等国

---

①《马克思恩格斯全集》第6卷，人民出版社1961年版，第228页。

家都得到了长足的发展，但总的来说，资本主义在欧洲的发展仍然在同封建主义的斗争中不能占据绝对上风，甚至在德国这样的国家里，资产阶级还比较弱小、软弱，还不敢公开地同封建势力展开斗争。在经过了1848年的革命洗礼之后，欧洲大陆各国的资产阶级终于认识到可以借助革命这一暴力工具展开同封建势力的斗争，为资本主义的经济、政治发展开辟道路。

马克思专门就革命对德国资产阶级发展的影响评价道：**"普鲁士资产阶级被抛上了国家政权的高峰，但并不是像它所希望的那样，是由于同王权成立和平协定的结果，而是由于发生了革命的结果。"**[1]资产阶级正是从革命中尝到了甜头，因而在其后的发展进程中会充分运用革命手段和方法来满足并实现自己的政治、经济等各种愿望。

1848年革命在实现前述目的的同时，也收获了一些"副产品"。所谓"副产品"，即是革命的主导者，也就是资产阶级所不希望出现的情形，但伴随革命的开展却又实实在在地出现了。

这些"副产品"之一便是无产阶级的觉醒。1848年欧洲革命的简略进程是：资产阶级联合无产阶级同封建势力展开斗争，随着斗争的进行，封建势力越来越式微，无产阶级同资产阶级之间的根本对立便凸显出来，并表现为两大阶级之间直接的对抗。

这一结局，是资产阶级所不希望看到的，但却是社会发展

---

①《马克思恩格斯全集》第6卷，人民出版社1961年版，第123页。

不可逆转的结果。从此，无产阶级与资产阶级之间的对决，就成为社会的主要矛盾，其他一切斗争都是围绕这一斗争展开的。“巴黎的六月斗争，维也纳的陷落，1848年柏林11月的悲喜剧，波兰、意大利和匈牙利的拼命努力，爱尔兰的严重饥荒”[①]，都集中表现了资产阶级同无产阶级之间的阶级对抗。

所以，马克思在谈到六月起义的意义时高度评价道，工人们在面对“不是饿死，就是斗争”的选择时，通过“大规模的起义”作了“回答”：“这是分裂现代社会的两个阶级之间的第一次大规模的战斗。这是保存还是消灭资产阶级制度的斗争。蒙在共和国头上的面纱被撕破了。”[②]这里的“共和国”，指的是资产阶级共和国，也就是资本主义。

六月起义虽然最终失败了，却也打破了无产阶级对资产阶级的政治幻想，使无产阶级认识到自己同资产阶级是根本对立的，二者之间的矛盾唯有革命方能解决。唯有革命，也就是推翻资产阶级统治，建立无产阶级政权，无产阶级才能赢得最终的解放。这是资产阶级联合无产阶级参与1848年革命的典型“副产品”。

1848年欧洲资产阶级民主革命的另一“副产品”是“启发”了一批欧洲落后的、弱小的国家，让它们也意识到，通过革命的手段和方式，民族解放与民族独立是可以实现的。正是在革命时期，欧洲许多国家的民族解放与独立运动蓬勃开展。这主要是因为革命对封建专制制度给予了重大打击，同时也为俄国、普鲁士、奥地利的封建统治力量的削弱，意大利和德

①《马克思恩格斯选集》第1卷，人民出版社2012年版，第327页。

②《马克思恩格斯选集》第1卷，人民出版社2012年版，第467页。

国的统一、波兰的农奴解放、俄国的农奴制改革、多瑙河两公国的民族解放、奥匈协定的签订等重大历史事件的发生奠定了基础。随着更多国家封建统治的结束，资本主义在欧洲的发展有了大好的前途。

以“火车头”形象地比喻并强调革命的巨大历史作用，其寓意一是革命具有牵引的作用，另一是“发动机”，即源泉的作用。两层寓意相结合，其根本含义是要表明，革命是阶级斗争发展的最高形式和必然结果，是扫除阻碍历史发展一切障碍，推动阶级社会向前发展的强大动力。资产阶级联合无产阶级取得同封建势力斗争的胜利后，无产阶级同资产阶级之间又会展开斗争，开展革命。

在二月革命中，法国的资产阶级、小资产阶级和无产阶级在“改革万岁！打倒基佐！”的口号声中联合起来，推翻了七月王朝。但胜利果实却被资产阶级篡夺，而资产阶级又非常惧怕无产阶级的强大，于是革命刚一胜利，就立即掉转枪口向无产阶级发起进攻。无产阶级中的巴黎工人以六月起义作为回答。在经过4天的战斗之后起义失败。其后，斗争与复辟反复出现。剧烈的阶级斗争使法国“看起来仿佛社会现在退到它的出发点后面去了，实际上社会首先要为自己创造革命所必需的出发点，创造唯一能使现代革命成为真正的革命的形势、关系和条件”[①]。革命在推进资本主义发展的同时，也造就了它的掘墓人，它的遗嘱执行者。所以，恩格斯总结道：“1848年革命虽然不是社会主义革命，但它毕竟为社会主义革命扫清

①《马克思恩格斯选集》第1卷，人民出版社2012年版，第672页。

了道路，为这个革命准备了基础。”[1]

革命之所以具有火车头的历史作用，是因为在革命时期的剧烈动荡中，无产阶级及其同盟者能够利用这一时机充分发挥勇敢的和首创的精神。巴黎工人的六月起义拉开了欧洲大陆未来革命的序幕。在无产阶级和革命群众的英勇斗争面前，政府军队狼狈不堪，法国国王被推下王座，奥地利首相男扮女装仓皇出逃，普鲁士国王吓得手足颤抖并向死难群众脱帽致敬。这些都是革命的作用和功劳。

因此，列宁认为“革命是历史的火车头”这一名言应该解读为：“革命是被压迫者和被剥削者的盛大节日。人民群众在任何时候都不能像在革命时期这样以新社会制度的积极创造者的身分出现。在这样的时期，人民能够作出从市侩的渐进主义的狭小尺度看来是不可思议的奇迹。”[2]

人民群众在革命进程中，胜利时有胜利的快乐，失败时有失败的经验教训。只有在这种胜利与失败交织，快乐与痛苦并存的情况下，无产阶级才会真正成长起来，并最终赢得同资产阶级斗争的胜利。马克思充满激情地说道：“只有浸过了六月起义者的鲜血之后，三色旗才变成了欧洲革命的旗帜——红旗！因此我们高呼：革命死了！——革命万岁！”[3]

（四）工农联盟理论的提出

无产阶级在1848年革命进程中，错信资产阶级而被利用，奋起反抗又横遭镇压，那么，应该如何开展革命斗争，方能最

---

①《马克思恩格斯选集》第1卷，人民出版社2012年版，第397页。

②《列宁选集》第1卷，人民出版社1995年版，第616页。

③《马克思恩格斯选集》第1卷，人民出版社2012年版，第471页。

终赢得无产阶级革命的胜利？首先，在政治组织、思想认识等根本问题上，坚决不与资产阶级结盟，更不能对其有所依赖和产生幻想，必须坚定地与其进行斗争，时刻保持警惕。在策略上，必须学会在相当长的时间内同资产阶级共存。其次，无产阶级在发展壮大自己的同时，要寻找、扩大自己的同盟军。不能同资产阶级结盟，那么，小资产阶级、农民，是全部都可以结盟，还是其中部分可以结盟？马克思和恩格斯通过对小资产阶级和农民阶级的阶级性分析，得出只能同农民阶级结盟，不能同小资产阶级结盟的结论。工农联盟的建立，是无产阶级最终赢得同资产阶级斗争胜利的力量保证。马克思关于工农联盟的思想，是马克思主义阶级斗争学说中的必要组成部分。

其实，在马克思主义发展史上，在1848年革命前后，马克思和恩格斯已经注意到，并多次提及，要在无产阶级的革命队伍中，把更多被剥削群众吸引到自己队伍中来。这其中就有农民阶级。恩格斯在1848年1月就指出，“毫无疑问，总有一天贫困破产的农民会和无产阶级联合起来，到那时无产阶级会发展到更高的阶段，向资产阶级宣战”①。恩格斯的这一论断清楚地表明了无产阶级同农民之间建立联盟的必然性。

1848年革命虽然是无产阶级同资产阶级一道反封建，但两大阶级并不是同盟军，相反，它们是两大根本对立的阶级。“无产阶级既然将自己的葬身地变成了资产阶级共和国的诞生地，也就迫使资产阶级共和国现了原形：原来这个国家公开承认的目的就是使资本的统治和对劳动的奴役永世长存。已

①《马克思恩格斯全集》第4卷，人民出版社1958年版，第511页。

经摆脱了一切桎梏的资产阶级统治"[①]，其眼前总是站着一个"遍体鳞伤、决不妥协与不可战胜的敌人"[②]，这个"敌人"的不可战胜是因为它本身就是资产阶级生存的条件，它正是无产阶级。

在同资产阶级的初期斗争中，无产阶级必须找到自己的同盟军。在革命前后，欧洲大陆的大多数国家里，都存在着大量的农民。于是，农民的态度及其倾向，无论是对于革命的胜利，还是无产阶级在同资产阶级的斗争中结果如何，都起着至关重要的作用。同时，1848年革命表明，无产阶级在成为独立的政治力量时，资产阶级已经在逐渐失去其革命性，因此，无产阶级要建立自己的领导权，争取广大农民的支持，建立工农联盟，就是一件必要且十分紧迫的任务。要建立工农联盟，无产阶级必须在利益上完全站在农民一边，为广大农民争利益，争权利。在整个《新莱茵报》创办时期，马克思和恩格斯对此进行了大量的思考和分析，花费了大量的笔墨。在《法兰西阶级斗争》中，马克思把工农联盟的建立上升到无产阶级斗争策略的高度给予关注和论述。

二月革命后，在资产阶级的煽动下，法国农民站到了无产阶级的对立面，致使在接下来的六月起义中，因为缺少广大农民的支持，无产阶级在同资产阶级的直接对抗中遭到失败。对此，马克思在谈到六月起义，总结其失败的原因时指出："在革命进程把站在无产阶级与资产阶级之间的国民大众即农民和小资产者发动起来反对资产阶级制度，反对资本统治以前，

① 《马克思恩格斯选集》第1卷，人民出版社2012年版，第469—470页。
② 《马克思恩格斯选集》第1卷，人民出版社2012年版，第470页。

在革命进程迫使他们承认无产阶级是自己的先锋队而靠拢它以前，法国的工人们是不能前进一步，不能丝毫触动资产阶级制度的。工人们只能用惨重的六月失败作代价来换得这个胜利。"①这是马克思，也是马克思主义对工农联盟的正式提出和表述；马克思主义关于工农联盟的思想及其主要内容都包含在马克思的这一段文字当中。

分析马克思的这一段话，它至少包含以下内容：

第一，农民也是反对"资产阶级制度"，反对"资本统治"的，因此，无产阶级有着与农民共同的目的。这是他们之间结盟，即建立工农联盟的基础。在资本主义发展过程中，农民最终认识到，他们同无产阶级共同受着资产阶级的剥削，"很明显，农民所受的剥削和工业无产阶级所受的剥削，只是在形式上不同罢了。剥削者是同一个：资本"②，"农民的所有权是资本迄今为止用来支配农民的一种符咒；是资本用来唆使农民反对工业无产阶级的一个借口"③。要获得经济，进而政治的解放，就必须与同一个对手作斗争，这个"对手"即是资本，当然，也就是资产阶级。"只有资本的瓦解，才能使农民地位提高；只有反资本主义的无产阶级的政府，才能结束农民经济上的贫困和社会地位的低落。"④

第二，在无产阶级同农民的联盟中，无产阶级是"先锋队"，是领导阶级。农民只能依靠先锋队，向先锋队"靠拢"。在无产阶级同农民的联盟中，领导权的确立和同盟的建立是同一个问题的两方面，是不可分割的整体。没有无产阶级的

---

①《马克思恩格斯选集》第1卷，人民出版社2012年版，第455页。

②③④《马克思恩格斯选集》第1卷，人民出版社2012年版，第526页。

领导，就没有真正的工农联盟，或者，即使存在工农联盟，也发挥不出应有的作用。没有工农联盟的存在，也就谈不上无产阶级的领导权。工农联盟必须以无产阶级为领导，依靠农民的参与，才能真正建立。工农联盟这一组织特征是由无产阶级和农民各自所处的阶级地位决定的。

早在《共产党宣言》中，马克思和恩格斯就特别区分出了无产阶级，并认为它是全体被压迫、被剥削群众利益的真正代表者，是他们的领袖和组织者。农民是革命的积极力量，但其生产和生活方式决定了他们的落后、保守的弱点。作为一个阶级，它“根本没有能力首倡革命”[①]。这样，“他们不能以自己的名义来保护自己的阶级利益”[②]，“他们不能代表自己，一定要别人来代表他们”[③]。这里的“别人”，即是无产阶级。恩格斯指出，农民“需要更集中、更开化、更活跃的城市居民的富有首创精神的推动”[④]。马克思则明确地指出：“因此，农民就把负有推翻资产阶级制度使命的城市无产阶级看做自己的天然同盟者和领导者。”[⑤]

第三，无产阶级虽然是先锋队，但仅仅依靠自己的力量是不足以反对资产阶级统治，赢得统治权的。无产阶级在革命进程中必须要有同盟军，无产阶级的同盟军就是农民。农民如果脱离资产阶级而站在无产阶级一边，“于是无产阶级革命就会形成一种合唱，若没有这种合唱，它在一切农民国度中的

---

①《马克思恩格斯选集》第1卷，人民出版社2012年版，第540页。

②《马克思恩格斯选集》第1卷，人民出版社2012年版，第762页。

③《马克思恩格斯选集》第1卷，人民出版社2012年版，第763页。

④《马克思恩格斯选集》第1卷，人民出版社2012年版，第572页。

⑤《马克思恩格斯选集》第1卷，人民出版社2012年版，第766页。

独唱是不免要变成孤鸿哀鸣的”[1]。无产阶级需要农民的支持、参与,需要农民作为同盟军加入自己的队伍。

当然,农民也是革命者。这在某种程度上,农民同无产阶级有很大的相同之处,比如:在受剥削上,“农民所受的剥削和工业无产阶级所受的剥削,只是在形式上不同罢了”[2],他们都受着“资本”的剥削。因此,“只有资本的瓦解,才能使农民地位提高;只有反资本主义的无产阶级的政府,才能结束农民经济上的贫困和社会地位的低落”[3]。最终,“农民自己应该决定自己的命运”[4]。很显然,农民的命运只能是同无产阶级联系在一起,成为无产阶级的同盟军。

第四,在无产阶级革命进程中,在无产阶级及其同盟军获得解放的进程中,存在着领导权的问题,而且这个问题至关重要。六月起义的失败表明,无产阶级对广大群众的思想领导和政治领导,是无产阶级取得革命胜利的首要条件,是保证广大群众积极参与无产阶级革命的前提。六月起义中无产阶级虽是孤独的,因而革命最终失败了,但却向全体人民表明了资产阶级不是无产阶级的同盟军,也不是广大群众的领导者。

能够真正代表广大群众的是无产阶级,且随着时间的推移和革命的进行,无产阶级必将赢得社会的广泛支持,以无产阶级为领导核心的人民统一战线最终会建立起来。马克思指出:“在无产阶级暂时被挤出舞台而资产阶级专政已被正式承认之后,资产阶级社会的中间阶层,即小资产阶级和农民阶级,就必定要随着他们境况的恶化以及他们与资产阶级对抗

①《马克思恩格斯选集》第1卷,人民出版社2012年版,第769页。

②③④《马克思恩格斯选集》第1卷,人民出版社2012年版,第526页。

的尖锐化而越来越紧密地靠拢无产阶级。正如他们从前曾认为他们的灾难是由于无产阶级的崛起一样,现在则认为是由于无产阶级的失败。"[①]也正是因为如此,农民才会同无产阶级结成联盟,建立起对无产阶级、对农民阶级都将无往不利的工农联盟。

(五)科学社会主义本质的揭示

在二月革命中,无产阶级同资产阶级一道战胜了封建残余势力,为法国以及整个欧洲大陆的资本主义发展打开了广阔的空间。但是,胜利者之一的无产阶级却没有能够分享到胜利的果实,而是继续遭受压迫和剥削。在这样的情形下,以巴黎工人阶级为代表,无产阶级发动了著名的六月起义。由于六月起义所要斗争的对象变成了资产阶级,资产阶级就以破坏社会"秩序"为由,镇压了巴黎工人的起义。

马克思在《法兰西阶级斗争》中以四个"秩序"论证了资产阶级打着维护秩序的口号实施对无产阶级的镇压。资产阶级所要维护的秩序只能是资产阶级的统治,对无产阶级的镇压是两大阶级之间根本对立的矛盾的表现。因此,马克思用资产阶级的口气说道:"六月革命罪该万死!"在这种情况下,六月起义的失败是注定了的。

不过,这一失败却使无产阶级认识了一条真理:无产阶级想要"在资产阶级共和国范围内稍微改善一下自己的处境只是一种空想,这种空想只要企图加以实现,就会成为罪行"[②]。怎么办? 无产阶级应该怎样赢得自己的权利?

---

①《马克思恩格斯选集》第1卷,人民出版社2012年版,第470页。

②《马克思恩格斯选集》第1卷,人民出版社2012年版,第469页。

马克思明确指出，无产阶级原本想通过二月革命实现的“要求”，“那些形式上浮夸而实质上琐碎的、甚至还带有资产阶级性质的要求”[①]，就只能用一个“大胆的革命战斗口号”[②]来表达，这个口号就是：“推翻资产阶级！工人阶级专政！”[③]

前面已经表明，这是“无产阶级专政”概念的第一次表达和使用，这里不再赘述。本节之所以一开始要引出这句话来，目的是要说明马克思论述社会主义的出发点就在这里。

马克思在《法兰西阶级斗争》中既用到了“共产主义”，也用到了“社会主义”。

在第一章《1848年的六月失败》中，马克思两次用到了“共产主义”：有传言说位于马尔斯广场的工人在路易·勃朗等人的领导下“武装集合”，要“推翻临时政府”，宣布成立“共产主义政府”。但是，很快地，又有消息说市政府门前就集聚了大量的国民自卫军，武装起义被镇压，很多人又转而向政府表示效忠，并喊出了“打倒共产主义者”的口号。[④]很明显，马克思在这里两次用到的“共产主义”不是《共产党宣言》中所说的共产主义，也不是科学社会主义理论中的共产主义，它指的是以路易·勃朗为代表的小资产阶级的社会主义。

在第三章《1849年六月十三日事件的后果》中，马克思又一次用到了“共产主义”。马克思在分析了“空论的社会主义”的特点之后说道，当无产阶级团结到资产阶级用布朗基的名字来命名的“共产主义”周围时，社会主义就变成了“革命的社会主义”，也就是包含了无产阶级专政的，能够真正让无产阶

①②③《马克思恩格斯选集》第1卷，人民出版社2012年版，第762页。
④ 参见《马克思恩格斯选集》第1卷，人民出版社2012年版，第464页。

级获得自由和解放的社会主义。

《法兰西阶级斗争》中谈到“社会主义”的地方有很多，马克思所说的“社会主义”有两种：一种“社会主义”不是建立在无产阶级专政基础上的空想社会主义，马克思将各式各样的非马克思主义的社会主义用一个词加以总称：“空论的”。“空论的社会主义”主要指的是资产阶级的社会主义和小资产阶级的社会主义。另一种是建立在无产阶级专政基础上的、马克思主义的社会主义，马克思将其叫作“革命的社会主义”。这是两种根本不同的社会主义，社会主义的本质就在“革命的”社会主义。

对于“共产主义”“社会主义”这两个名称的不同含义，恩格斯在《共产党宣言》1888年英文版《序言》和1890年德文版《序言》中，一方面将《共产党宣言》的书名叫作《共产主义宣言》，另一方面又明确指出，之所以将《共产党宣言》叫作《共产主义宣言》而不将其叫作“社会主义宣言”，是因为在1847年的时候，“社会主义者”指的是两种人：一种是“各种空想主义体系的信徒”，比如英国的欧文派和法国的傅立叶派；一种是“形形色色的社会庸医”，这一派的社会主义者“想用各种万应灵丹和各种补缀办法来消除社会弊病而毫不伤及资本和利润”。这两种人都站在工人运动之外，不是依靠工人阶级，而是向“有教养的阶级”寻求支持以改变社会。

相反，“共产主义者”指的是“当时确信单纯政治变革还不够而要求根本改造社会的那一部分工人”[①]，虽然他们“还没有

①《马克思恩格斯选集》第1卷，人民出版社2012年版，第392页。

很好加工”，而是“出于本能”、有些“粗陋”。即便如此，也还是**“已经强大到足以形成两种空想的共产主义体系”**[①]：卡贝的“伊加利亚共产主义”和魏特林的共产主义。恩格斯重申：**“在1847年，社会主义意味着资产阶级的运动，共产主义则意味着工人的运动。”**[②]社会主义，至少在欧洲大陆上，是“上流社会”的，而共产主义却“恰恰相反”。所以，马克思和恩格斯根本不用质疑，就知道应该采用哪一个名称，这个名称就是：共产主义。

知识链接 ……………………………………………………

★ 卡贝与“伊加利亚公社” ★

埃蒂耶纳·卡贝（1788—1856），19世纪法国著名空想社会主义者。1840年发表长篇空想共产主义小说《伊加利亚旅行记》，主张“和平共产主义”思想，幻想以非暴力方式通过改良建立理想社会。法国二月革命后，成立中央兄弟会。1848年在美国得克萨斯州建立“伊加利亚公社”，这是一个乌托邦式的社区，以失败终结。马克思评价卡贝是“最有声望然而也是最肤浅的共产主义的代表人物”[③]。

六月起义失败了，但无产阶级却以独立的政治力量登上历史舞台。一方面，形成了资产阶级同无产阶级尖锐对抗的资本主义社会阶级斗争的根本局面，另一方面，除这两大阶级之外的其他阶级只能选择其中之一作为自己的依靠，农民阶

①②《马克思恩格斯选集》第1卷，人民出版社2012年版，第392页。
③《马克思恩格斯全集》第2卷，人民出版社1957年版，第167页。

级就选择了无产阶级作为自己的领导阶级，建立了工农联盟，形成了“社会民主派”，亦即“红色共和国派”。马克思指出，“反对资产阶级专政，要求改造社会，要把民主共和机构保存起来作为他们运动的工具，团结在作为决定性革命力量的无产阶级周围”[1]，这就是红色共和国派的“一般特征”。这一派也叫“无政府派”，是由“各种不同利益的联合”而组成的。无政府派，也就是无产阶级为代表的一派，其形成有一个过程：从对旧社会的“稍微改良”到“把旧社会的秩序推翻”，从“资产阶级自由主义”到“革命恐怖主义”。这样的行为所造成的后果，即是“社会主义”。

对于无政府派的社会主义的历史作用，马克思用四个“这就是社会主义”和一个“全都是社会主义”进行描述：第一个，“废除保护关税”，这是对“秩序党”（相应地，这应该叫“政府派”，是以资产阶级为代表的一派）中“工业集团的垄断”的“打破”；第二个，“整顿国家财政”，这是对“金融集团的垄断”的“打破”；第三个，“自由输入外国肉类与粮食”，这是对“大地产集团的垄断”的“打破”；第四个，“伏尔泰主义”，这是对“天主教集团”的“攻击”（这里的“伏尔泰主义”主要指反宗教）。“全都是”指“新闻出版自由、结社权利和普及国民教育”，因为这些是对“整个垄断”的“打破”。[2]但是，这样的社会主义不是马克思所说的社会主义，即不是“革命的”社会主义，顶多有些改良的成分在内，更多的是一厢情愿，是空想，所以，多半属于小资产阶级的社会主义。于是，组成无政府派的各个阶级都“宣

①《马克思恩格斯选集》第1卷，人民出版社2012年版，第530页。

② 参见《马克思恩格斯选集》第1卷，人民出版社2012年版，第530页。

布自己是解放无产阶级的手段，而无产阶级的解放就是自己的目的”[①]。这显然是在“故意骗人”或“自我欺骗”，[②]因为在马克思主义的无产阶级专政理论中，资产阶级是无产阶级永远的敌人，小资产阶级始终摇摆不定，农民阶级是无产阶级的同盟军，无产阶级是领导阶级。

可见，无政府派的社会主义是同马克思主义的社会主义根本不同的，二者的根本区别在于“空论”与“革命”的根本差别。空论的社会主义，也就是无政府派的社会主义，是“一般社会主义词句”之下的社会主义，它“大体上一贯要求推翻金融贵族的统治而使工业和交易摆脱历来的束缚”。这是“工业、商业和农业的社会主义”，也就是资产阶级的社会主义，但由于同秩序党中的三大巨头的私人垄断不相符合而被这些巨头所“摒弃”。[③]资产阶级社会主义同小资产阶级社会主义一样，既是社会主义的变种，也能吸引一小部分工人和小资产者成为自己的信徒。在马克思看来，空论的社会主义，主要指的就是小资产阶级社会主义。它是“本来意义的社会主义”，是“地道的社会主义”。路易·勃朗是这种社会主义的典型代表。

知识链接 ……………………………………………………

★ 路易·勃朗与小资产阶级社会主义 ★

路易·勃朗（1811—1882），19世纪法国历史学家、小资产阶级社会主义思想家。出生于马德里，童年在科西嘉度过。在波旁王朝复

①《马克思恩格斯选集》第1卷，人民出版社2012年版，第531页。

②③ 参见《马克思恩格斯选集》第1卷，人民出版社2012年版，第531页。

辟时回到法国，先后做过律师和新闻工作者。1838年创办《政治、社会和文学进步评论》报纸，1840年出版著名的《劳动组织》一书，书中阐发了他的小资产阶级社会主义思想。

路易·勃朗从批判资本主义的竞争开始阐发他的小资产阶级社会主义思想。他认为，消灭竞争以及由竞争所引起的所有不合理现象，改革旧的社会制度，将被所有阶级所欢迎。为此，他提出了一套以阶级调和论为理论基础的和平实现"社会主义"的方案。如：国家提供资金和劳动工具"组织劳动"，建立"社会工场"，实行"劳资合作"，以过渡到"社会主义"（路易·勃朗称作"社团"）。这种反对阶级斗争和无产阶级革命，鼓吹阶级合作，企图依靠资产阶级民主来和平地改造资本主义社会的政治主张，就是典型的小资产阶级社会主义思想。

以路易·勃朗为代表的小资产阶级社会主义的基本主张是：资本是无产阶级的"债权人"，无产阶级受资本的剥削，所以无产阶级要设立"信贷机关"；竞争通过资本"扼杀"了无产阶级，因此要设立由国家支持的"协作社"来解决这一问题；资本通过"积聚"战胜了无产阶级，所以无产阶级要"要求征收累进税、限制继承权并由国家兴办大型工程以及采取其他各种强力抑止资本增长的措施"[①]。在资本主义社会里，无产阶级和全体国民都必须保证能够以劳动维持生存，都有工作可做。于是乎，能够"组织劳动"，有了"专门的劳动部"就可以解决所有问题，也就不需要无产阶级了。法国的临时政府认识到了这样做的"好处"，于是成立了一个专门的常设委员会，以"探求改善工人阶级状况的办法"，且由路易·勃朗和阿尔伯任

①《马克思恩格斯选集》第1卷，人民出版社2012年版，第531页。

主席，把卢森堡宫划给委员会做会址。这样一来，临时政府中的中产阶级分子好像就“把实际的国家政权和行政管理权完全掌握在自己手中了”。

马克思嘲讽道：“在财政部、商业部和公共工程部旁边，在银行和交易所旁边，修建了一个社会主义的礼拜堂，这个礼拜堂的两个最高祭祀路易·勃朗和阿尔伯所承担的任务就是要发现乐土，宣告新福音，并让巴黎无产阶级有工作可做。”[①]这是典型的小资产阶级空想，是“空论”，因为它没有任何经费预算，没有任何行政权，“他们得用自己的头去撞碎资产阶级社会的柱石”[②]。卢森堡宫在“寻找点金石”，而市政厅却在“铸造着通用的钱币”。[③]

小资产阶级的社会主义，亦即空论的社会主义，“只有在无产阶级尚未发展为自由的历史的自主运动的时候，才是无产阶级的理论表现”[④]。虽然在马克思看来，小资产阶级的社会主义有其存在的合理性，但它明显不是马克思心目中的社会主义，所以，马克思指出，这种“乌托邦”，这种“空论的社会主义”，有两大特点：

其一，认为无产阶级革命运动是一成不变的，整个运动过程始终停留在某一个阶段上，幻想不通过阶级斗争来达成无产阶级解放自己的目的。试图“用个别学究的头脑活动来代替共同的社会生产”[⑤]，“幻想借助小小的花招和巨大的感伤情

①②《马克思恩格斯选集》第1卷，人民出版社2012年版，第453页。

③ 参见《马克思恩格斯选集》第1卷，人民出版社2012年版，第453页。

④《马克思恩格斯选集》第1卷，人民出版社2012年版，第531—532页。

⑤《马克思恩格斯选集》第1卷，人民出版社2012年版，第532页。

怀来消除阶级的革命斗争及其必要性”[1]。

其二,“把现代社会理想化”,似乎现代社会没有阴暗面,并且不顾现实而力求实现自己的理想。当无产阶级放弃这种幻想,团结在资产阶级用“布朗基”的名字命名的“共产主义”周围时,此时的社会主义就是“革命的社会主义”。这种社会主义就是宣布“不断革命”,其本质就是实行“无产阶级的阶级专政”。而这种“阶级专政”的目的是要“达到”三个“消灭”和“达到”一个“改变”。

第一个要“达到”的“消灭”是:“消灭一切阶级差别”。阶级之间存在差别既是社会历史发展的结果,也是社会发展的推动力量。没有阶级差别,就不会有阶级斗争,就不会有利益的争夺。在有了阶级和阶级社会之后,消灭阶级之间的差别,是解决阶级社会矛盾的根本出路。这也是马克思主义阶级斗争学说的出发点。马克思关于阶级的产生和发展规律的理论虽然在1852年在写给魏德迈的信中才完整地表述出来,但在《法兰西阶级斗争》里,已经将阶级斗争的发展规律表达得非常清楚:无产阶级专政,即无产阶级的阶级斗争的最终目的是要消灭一切阶级。既然是一切阶级,当然也就包括无产阶级自己,而没有阶级存在的社会状态,才谈得上共产主义社会。

第二个要“达到”的“消灭”是:要消灭产生阶级差别的“一切生产关系”。生产关系即是人与人之间的关系,这种关系在阶级社会里通常以阶级的形式出现,所以,要消灭阶级差别,往根源上走一步,就是要消灭生产关系。

---

①《马克思恩格斯选集》第1卷,人民出版社2012年版,第532页。

第三个要“达到”的“消灭”是：消灭“和这些生产关系相适应的一切社会关系”[①]。生产关系涉及的是人与人的关系，人是活动在社会之中的，因而生产关系再往原因上走一步，便是社会关系。

一个要“达到”的“改变”是：“改变由这些社会关系产生出来的一切观念的必然的过渡阶段”[②]。这是指对社会关系的认识以及建立在认识基础上的各种理论。马克思因为把自己关于社会关系的认识建立在唯物主义基础之上，因而正确地、科学地回答和解决了社会历史发展的规律问题，既检验了历史唯物主义理论的科学性，也正确地解决了无产阶级的历史使命问题，使马克思主义理论在欧洲甚至世界范围内赢得了广泛的关注。

由于空论的社会主义倡导和追求无产阶级一定有工作可干，把对“劳动权”的追求作为“社会主义”的基本标准，马克思在《法兰西阶级斗争》中对“劳动权”的思想进行了分析。

马克思指出，在六月起义之前，资产阶级临时政府在宪法草案中提到了“劳动权”。此时，“劳动权”虽是一个“笨拙”的“公式”，但却“初次概括”了“无产阶级各种革命要求”。[③]到了六月事变之后，由于起义的失败，无产阶级的权力受到削弱，劳动权的概念变成了“享受生活救济权”。

众所周知，在现代社会里，穷人都是被救济的，而穷人显然不是无产阶级，虽然无产阶级在资本主义社会里始终处于贫穷状态。两个概念的转换及其细微的差别，既反映了无产

①②《马克思恩格斯选集》第1卷，人民出版社2012年版，第532页。
③ 参见《马克思恩格斯选集》第1卷，人民出版社2012年版，第478页。

阶级的被压迫、被剥削地位，也表明了空论的社会主义的虚幻。

其实，资产阶级压根儿就没有打算赋予无产阶级劳动的权力，劳动权在资产阶级那里只是一种“胡说”，是一种“可怜的善良愿望”。[1]那么，真正的劳动权是什么呢？

马克思明确指出，真正的劳动权，就是“支配资本的权力”，而支配资本的权力，也就是“占有生产资料，使生产资料受联合起来的工人阶级支配，也就是消灭雇佣劳动、资本及其相互间的关系”[2]。这是对“劳动权”的内涵的科学揭示。

其实，劳动权作为一种权力，并不是简单地表现为是否有工作，这只是一种表面形式。由于资本主义社会中一切都是以“资本”来衡量的，因而劳动权的拥有与否也必须同资本密切关联。

无产阶级要成为社会的主人，成为领导者，是否能够进入工厂，是否能够在生产线上工作，并不是根本，其根本在于是否能够在资本主义社会里有决定权，也就是是否拥有对资本的支配权，这一点，才是最根本的。所以，劳动权的本质问题在于是否拥有对资本的支配权。

拥有了资本的支配权，就拥有了对生产资料的占有权；拥有了占有生产资料的权力，才有资格宣布生产资料是归私人占有还是归集体占有。无产阶级当然要宣布生产资料归集体占有，因为这是实行公有制的前提。有了公有制，才谈得上消灭雇佣劳动，消灭资本，以及它们之间的各种关系。没有对资本的支配权，工人阶级就算有劳动，这种劳动也只能是受资产

① 参见《马克思恩格斯选集》第1卷，人民出版社2012年版，第478页。

②《马克思恩格斯选集》第1卷，人民出版社2012年版，第478—479页。

阶级剥削的劳动，是一种雇佣劳动。

马克思认为，雇佣劳动是“现存的资产阶级的组织劳动”[①]。对于资产阶级，对于资本主义社会，“没有雇佣劳动，就没有资本，就没有资产阶级，就没有资产阶级社会”[②]。小资产阶级社会主义者所追求的“专门的劳动部”，实质是“资产阶级的劳动部”，设在“这些部旁边的无产阶级的劳动部”，只能是“软弱无力的部”。

马克思在《法兰西阶级斗争》中所说的“劳动权”概念及其所表达的思想，是对社会主义本质的明确表述。

恩格斯评价道，如此一来，本书就具有了“特别重大”的意义，“在这里第一次提出了世界各国工人政党都一致用以扼要表述自己的经济改造要求的公式，即：生产资料归社会所有”[③]。无论是马克思所说的“笨拙的公式”，还是恩格斯所说的“经济改造要求的公式”，实质是生产资料归社会所有，也就是实行生产资料公有制，这就是“革命的社会主义”的本质。

不仅如此，恩格斯继续说道，马克思在这里“第一次表述了一个使现代工人社会主义既与封建的、资产阶级的、小资产阶级的等形形色色的社会主义截然不同，又与空想的以及自发的工人共产主义所提出的模糊的财产公有截然不同的原理”[④]。如此一来，非常清楚，马克思所说的“革命的社会主义”实质上就是科学社会主义。

在《法兰西阶级斗争》一书中，马克思所阐述的历史唯物主义原理远不止上述内容。像经济基础与上层建筑的相互作

①②《马克思恩格斯选集》第1卷，人民出版社2012年版，第454页。

③④《马克思恩格斯选集》第4卷，人民出版社2012年版，第381页。

用，政党、思想在社会发展中的作用，国家及其各种政体的作用，革命在改造人类历史上的伟大意义，等等，马克思都有论及。本书限于篇幅，就不再详述了。

延伸阅读

（1）马克思：《马克思致约瑟夫·魏德迈》，《马克思恩格斯选集》第4卷，人民出版社2012年版。

（2）列宁：《伟大的创举》，《列宁选集》第4卷，人民出版社1995年版。

（3）［英］罗杰·普赖斯：《1848年欧洲革命》，北京大学出版社2021年版。

深度思考

（1）马克思为什么要分析1848年的欧洲革命？

（2）《法兰西阶级斗争》一书对历史唯物主义有哪些贡献？

（3）应该怎样理解“劳动权”公式？

Reading & Interpretation
大家写小书·马恩经典著作新读

第三章

理论意义与历史意义

顾名思义，“1848年至1850年的法兰西阶级斗争”，是研究1848年到1850年这一段时间里，发生在法国的阶级斗争。构成整部著作的四篇文献写于1849年底—1850年3月底和1850年10月—11月1日（这些文献刊载于由马克思和恩格斯创办，于1850年1月在汉堡开始出版发行的《新莱茵报。政治经济评论》上），刊载于1850年1，2，3和5—10月的《新莱茵报。政治经济评论》第1，2，3和5—6期。[①]这是一部“事后”之作，是对1848年至1850年发生在法国的革命事件的事后分析和评论。之所以要在1848年至1850年法兰西阶级斗争的“事后”仍然去研究这一事件，是因为隐藏在社会政治事件背后的经济原因要表现出来总是具有一定的“滞后性”。

恩格斯明确地指出了这种“滞后性”的存在及其存在的原因：“某一个时期的经济史的清晰的概况，决不会在当时就得到，而只有在事后，即在搜集和整理了材料之后才能得到。”[②]在一件事情发生之后仍然要对其“关注”，说明这件事除了“事件本身”足够重要外，其所产生的后果“影响”深远，值得“研究”。

对于马克思来说，1848年至1850年之间发生在法国的阶级斗争就是这样的“事件”，其值得研究的地方主要在于它的理论意义。同时，作为无产阶级发展进程中和马克思主义理论，尤其是历史唯物主义理论发展过程中的重大事件，也有着重要的历史意义。

① 参见《马克思恩格斯选集》第1卷，人民出版社2012年版，第552页。

②《马克思恩格斯选集》第4卷，人民出版社2012年版，第379页。

一、理论意义

众所周知，马克思主义思想和方法论中最浓墨重彩的地方之一便是历史唯物主义。这一全新的世界观和方法论在《德意志意识形态》中就已经完成。但因为各种原因，这一著作在马克思和恩格斯生前，除了极小部分内容被发表之外，主要内容和思想都未能公之于众。直到《共产党宣言》发表，历史唯物主义才广为世人所认知。

在《共产党宣言》1888年英文版《序言》中，恩格斯写道，“早在1845年前的几年中”他和马克思就已经“逐渐接近了这个思想”；“1845年春”恩格斯“在布鲁塞尔再次见到”马克思的时候，他已经把“这个思想”考虑成熟。①恩格斯清楚地表明，历史唯物主义思想不是在《共产党宣言》里第一次出现，而应该被看作是第一次“运用”。

恩格斯在《卡·马克思〈1848年至1850年的法兰西阶级斗争〉一书导言》中明确指出，在《共产党宣言》中，马克思就用“这个理论”“大略地说明了全部近代史”。“这个理论”指的就是历史唯物主义，即恩格斯在这里所说的属于马克思独创的“唯物主义观点”。②

不仅如此，对于历史唯物主义理论来说，更为重要的是要用这一理论解释清楚人类社会的发展规律以及隐藏在各种社会现象背后、决定社会发展方向的根本原因，即经济因素，进而为无产阶级的解放和奋斗目标指出一条科学的必由之路，

① 参见《马克思恩格斯选集》第1卷，人民出版社2012年版，第386页。

② 参见《马克思恩格斯选集》第4卷，人民出版社2012年版，第378页。

即共产主义社会的实现。

这些重大的理论问题都要通过对1848年至1850年的法兰西阶级斗争的分析总结来给出让无产阶级信服的答案。

（一）对历史唯物主义的进一步检验与运用

恩格斯不但认为马克思和他在《共产党宣言》中用历史唯物主义理论大致地说明了“全部近代史”，且“答案”正确；在《新莱茵报》时期，他们继续用历史唯物主义理论“解释当时发生的政治事件”，答案同样让人满意。在这一进程中，《法兰西阶级斗争》一书是其中最著名的代表性作品。

同时，马克思的工作还完成了一个任务，这个任务“对全欧洲都很关键而又很典型”[①]，那就是“把政治事件归结为最终是经济原因的作用”[②]。这是历史唯物主义理论成立的最根本之处，既然要把历史归结为“唯物主义”的，社会展开过程中的物质性，就是经济。因此，历史唯物主义要科学地解释社会历史发展进程，就必须在根本上将一切社会现象都归结在经济因素上面。1848年至1850年的欧洲革命是政治事件，政治事件是一种社会现象。于是，能否将其发生的原因归结在经济因素上面，能否用经济的原因对革命的发生及其演进过程加以说明，直接关系到历史唯物主义是否成立、是否科学。

马克思运用革命为“试金石”，以欧洲革命，尤其是发生在法国的一些革命性事件为演进对象，深刻地检验了历史唯物主义理论，并对其中一些观点和理论进行了丰富和发展。列宁明确地指出：“1848—1849年的革命事态的发展极好地证实

①②《马克思恩格斯选集》第4卷，人民出版社2012年版，第378页。

了新的理论。"[1]这里所说的"新的理论"即历史唯物主义。

1848年至1850年的欧洲革命作为历史唯物主义创立之后所发生的宏大事件，对历史唯物主义的基本原理通过"革命"进行了检验，并论述了革命时期以及革命之后的新的基础之上如何运用历史唯物主义的基本原理。革命的事实证明，历史唯物主义是科学的理论，是无产阶级获得解放的理论工具和武器。第二章的论述已经证明了这一结论。

在革命爆发前的酝酿、准备时期，马克思和恩格斯通过分析欧洲国家的生产力状况、阶级力量的对比、政治势力的发展走向，从社会基本矛盾的运动及其展开，揭示了1848年革命发生的必然性及其蕴藏在其中的规律性。革命一爆发，马克思和恩格斯不但积极投身革命之中，而且对革命的进程，尤其是对刚刚独立地走上历史舞台的无产阶级，表示出了极大的关注，比如进行思想领导，参与制定无产阶级的革命纲领、策略，甚至斗争的方式方法等全新的工作。革命失败之后，他们不但不失时机地对革命的经验和教训作出了全面系统的总结，而且写下一系列历史唯物主义的光辉文献，这些文献是运用历史唯物主义分析欧洲革命事件，进而也是分析所有革命事件的光辉典范。

立足于把政治事件归结为最终是经济原因作用的结果的根本基础，马克思对1848年欧洲革命发生的条件和特点进行了历史唯物主义的分析。马克思认为，1848年革命发生的最根本的原因是资产阶级同封建残余势力之间展开的斗争，"这

---

①《列宁选集》第2卷，人民出版社1995年版，第416页。

是两个社会之间的冲突，具有政治形式的社会冲突，——这是旧的封建官僚社会和现代资产阶级社会之间的斗争，是自由竞争的社会和行会制度的社会之间的斗争，是土地占有的社会和工业的社会之间的斗争，是信仰的社会和知识的社会之间的斗争”[①]。一句话，1848年革命的发生是由于资产阶级同封建阶级两大阶级之间根本冲突的结果，而造成这一冲突的，则是两种生产关系所代表的利益的根本冲突。在这样的背景下产生的革命，其最大的特点是封建阶级、资产阶级和无产阶级三大阶级交织在一起，最初是无产阶级同资产阶级一道同封建阶级作斗争，然后是资产阶级同无产阶级的矛盾上升为社会的主要矛盾。革命的另一个特点是无产阶级会同资产阶级战胜了封建阶级，为资本主义的发展赢得了广阔的空间，接着又把同资产阶级的斗争从经济转向政治，从而使自己作为独立的政治力量登上历史舞台。

马克思通过《法兰西阶级斗争》彻底检验了历史唯物主义的基本原理：在社会历史发展进程中，经济是基础，经济基础决定上层建筑，社会现象最终都要归结为经济原因。在社会基本矛盾还没有明显地表现为无产阶级同资产阶级的对立的时候，对阶级斗争和社会革命问题进行了系统的阐述和总结，完善和发展了历史唯物主义中社会动力和发展的理论，明确地表达了阶级斗争是社会发展的基本动力的思想。马克思深刻认识到了革命的历史作用，得出了“革命是历史的火车头”的著名判断，指出1848年革命有力打击了封建专制制度，为资

①《马克思恩格斯全集》第6卷，人民出版社1961年版，第301页。

产阶级建立政治统治开辟了道路，对无产阶级运动有着重要的意义，对欧洲一些落后国家的社会发展产生了重大影响。

（二）对科学社会主义本质特征的揭示

无论是在马克思之前，还是之后，相伴科学社会主义理论的，总有各式各样的社会主义学说。因此，马克思主义创始人在论述自己的科学理论过程中，必须面对各种社会主义学说，并同这些错误的理论展开斗争。在《法兰西阶级斗争》一书中，马克思仍然要进行这一工作。

之所以要多次地、不厌其烦地进行这一工作，理由很简单，只有科学社会主义的理论才能最终带领工人阶级获得解放，但在无产阶级革命的初期，一方面是各式各样的社会主义思潮都能吸引工人的注意，另一方面是无产阶级正处于运动初期，其阶级觉悟和辨别能力都还有限。因此，马克思和恩格斯不得不花大量的力气去向工人阶级解释科学社会主义的主张，去向工人阶级揭示清楚各式各样的社会主义思潮的错误所在，进而表明科学社会主义的本质特征。

众所周知，在科学社会主义理论中，人类社会发展的最高阶段是共产主义社会，而在资本主义与共产主义之间存在着一个过渡阶段，即社会主义阶段。这一认识在今天是非常清楚的，但在19世纪中期前后，因为各式各样的社会主义和共产主义思潮都存在过、流行过，因而造成了认识上的许多混乱，使得马克思和恩格斯在使用社会主义、共产主义这些名词时要十分小心和谨慎。

恩格斯在《共产党宣言》1888年英文版《序言》中就明确表达了这方面的情形。他说，之所以将这个纲领性的文件起名为《共产党宣言》，而不是“社会主义宣言”，是因为“在1847年”，所谓的“社会主义者”，一是指“各种空想主义体系的信徒”，另一是指“形形色色的社会庸医”，他们自称“要消除一切社会弊病而毫不危及资本和利润”。这两种人都是“站在工人阶级运动以外”，同工人阶级没有多大关系的。而“共产主义者”，则是指工人阶级中“确信单纯政治变革还不够而公开表明必须根本改造全部社会的那一部分人”。这种共产主义虽然是“粗糙的、尚欠修琢的、纯粹出于本能的共产主义”，但却“接触到了最主要之点”，而且在工人阶级中已经强大到足以“形成空想共产主义”，比如卡贝、魏特林等人的共产主义。由此可见，“在1847年，社会主义是资产阶级的运动，而共产主义则是工人阶级的运动”。至少在欧洲大陆上，社会主义是所谓上流社会，即资产阶级的，共产主义则恰恰相反。因此，很清楚，在这两个名称中要用哪一个就是不言而喻的。[1]后来在1890年德文版《序言》中恩格斯重复了这些观点，有些地方表述得更加明晰。

恩格斯在这里说的是1847年的情形，马克思在《法兰西阶级斗争》中讨论的是1848—1850年之间的法国阶级斗争，二者在时间上密切联系在一起，在内容上马克思也仍然无法避开各式各样的社会主义思潮，尤其是当时在欧洲大陆盛行的路易·勃朗的小资产阶级社会主义和资产阶级社会主义思潮。因此，马克思用了大量的笔墨对此进行了详尽的分析和批判。在这些批判中，马克思一方面将这些所谓的社会主义称

---

① 参见《马克思恩格斯选集》第1卷，人民出版社2012年版，第384—385页。

作“空论的社会主义”，并指出了它们的局限与错误；另一方面也对科学社会主义的思想进行了分析和描述，并称其为“革命的社会主义”。

马克思指出，“革命的社会主义”就是“宣布不断革命”，就是“无产阶级的阶级专政”，而无产阶级专政的目的是消灭阶级差别，消灭产生这些阶级差别的生产关系，消灭同这些生产关系相适应的社会关系，最终“达到改变由这些社会关系产生出来的一切观念的必然的过渡阶段”①。

对于空论的社会主义，以“劳动权”为例，马克思认为，空论社会主义者所谈论的劳动权，只是一种幻想，其实质就是“支配资本的权力”，也就是“占有生产资料”，在革命的社会主义那里，“占有生产资料”的必须是“联合起来的工人阶级”。这也是“空论”与“革命”的本质区别之所在。

恩格斯高度评价了马克思所作的这一描述与认为的区别，明确指出，“使本书具有特别重大意义的是，在这里第一次提出了世界各国工人政党都一致用以扼要表述自己的经济改造要求的公式”②，这个公式就是“生产资料归社会所有”③。恩格斯接着就提到了马克思在第二章中对“劳动权”本质的分析，认为马克思在这里“第一次表述了一个使现代工人社会主义既与封建的、资产阶级的、小资产阶级的等形形色色的社会主义截然不同，又与空想的以及自发的工人共产主义所提出的模糊的财产公有截然不同的原理”④。

经过马克思的分析和恩格斯的评价，科学社会主义的名

①《马克思恩格斯选集》第1卷，人民出版社2012年版，第532页。

②③④《马克思恩格斯选集》第4卷，人民出版社2012年版，第381页。

称及其本质特征就完全同形形色色的社会主义、共产主义区别开来，其基本原理也被描述得十分清楚，对无产阶级同资产阶级展开斗争、争取解放的目标和方向都有着明确的指引。

知识链接

★ 科学社会主义 ★

有广义和狭义之分。广义上，指整个马克思主义思想体系。狭义上，指马克思主义组成部分中的"科学社会主义"，而不包括马克思主义哲学、政治经济学。在马克思主义的三大组成部分中，哲学是方法论，经济学是内容，科学社会主义是结论。马克思主义创始人运用哲学方法，对资本主义生产过程展开分析，得出了无产阶级解放的结论。科学社会主义也称科学共产主义，是同空想共产主义完全不同的关于无产阶级解放运动的性质、条件和一般目的的科学理论和思想，其创始人是马克思和恩格斯。通常所说的科学社会主义主要指狭义的。科学社会主义拥有完整的理论体系，其基本特征是：实行公有制，按劳分配，发展生产力，消除阶级差别，达到自由人的联合体，等等。

（三）用科学理论武装无产阶级

1848年欧洲革命是一次性质复杂的革命。就属性而言，是资产阶级民主革命，是资产阶级性质的。革命的对象是封建残余势力。但在资产阶级与封建阶级的斗争中，无产阶级这一没有多大关系的阶级不但参与了，而且是以独立的政治力量的方式参与的，并自此以后登上了历史舞台。于是，在分析欧洲革命时，就必须考虑革命的发展方向。

理论上，这一方向有二：一是资产阶级的方向。由于这是资产阶级性质的革命，所以必然向资产阶级方向发展。革命发展的进程事实也的确如此。另一方向是无产阶级方向。由于无产阶级的参与，无产阶级在革命进程中经受了锻炼和考验，使得无产阶级发展成为资本主义社会中同资产阶级对立、对抗的阶级，因此，革命自一开始就存在着向无产阶级方向发展的可能性。

革命发展的事实证明了这一点，虽然无产阶级的革命斗争最终被作为统治阶级的资产阶级所镇压而失败，但是，这一“新”情况表明，马克思主义有了阶级基础，无产阶级需要理论的指导。二者的有机结合，既是马克思主义发展的契机，也是无产阶级成长的需要。马克思在《法兰西阶级斗争》以及整个《新莱茵报》时期的思想，对于指导无产阶级的成长，为无产阶级提供科学的理论武装，都作出了巨大的贡献。马克思指出，1848—1849 年的革命虽然失败了，但却使同资产阶级对立的无产阶级政党“走向成熟”，成为“真正革命的党”。[①]

革命策略理论指导了无产阶级在资产阶级性质的革命进程中，应该对资产阶级革命持有什么样的态度。由于这是资产阶级性质的革命，无产阶级不可能实现自己的目标，但又不能只考虑资产阶级的目标的实现，而要为无产阶级的目标的实现打下一定的基础。在革命爆发前的“准备”时期，无产阶级要积极准备参加资产阶级革命，并要有引导资产阶级革命向无产阶级革命转变的思想；在资产阶级革命进程中无产阶

① 参见《马克思恩格斯选集》第1卷，人民出版社2012年版，第445页。

级要积极争取资产阶级革命的领导权；等等。这些都是无产阶级对待资产阶级革命的策略。

马克思指出，工人阶级不能指望通过“保存封建的财产关系”来实现“消灭资产阶级的财产关系”，资产阶级同封建阶级的斗争是无产阶级革命的起点，无产阶级同资产阶级的斗争必须在资产阶级战胜封建阶级之后。[①]无产阶级不应对资产阶级抱有幻想，但又必须参加资产阶级革命，“他们不仅能够而且应当参加资产阶级革命，因为这个革命是工人革命的前提。但是工人丝毫也不能把资产阶级革命当做自己的最终目的”[②]。马克思在这里清楚地表明了无产阶级对待资产阶级革命的基本策略。

在1848年革命爆发后，马克思更是清楚地认识到对无产阶级进行革命策略的理论指导的重要性。马克思向无产阶级表明：资本主义取代封建主义，资产阶级战胜封建阶级，是历史发展的必然规律。因此，同资产阶级一道完成资产阶级革命是符合社会发展的逻辑的。马克思说道：无产阶级“宁肯在现代资产阶级社会里受苦，也不要回到已经过时了的旧社会去”[③]，因为前者为无产阶级的解放创造了物质资料，后者则让人们重新回到中世纪去。也正是因为如此，马克思才明确指出法国六月起义的失败有着重要的意义，它创造了无产阶级同资产阶级全面冲突的社会历史条件，而这一条件在封建社会里是不可能产生的。

---

① 参见《马克思恩格斯全集》第4卷，人民出版社1958年版，第346—347页。

②《马克思恩格斯全集》第4卷，人民出版社1958年版，第347页。

③《马克思恩格斯全集》第6卷，人民出版社1961年版，第230页。

无产阶级专政的理论为无产阶级同资产阶级作斗争，推翻资产阶级政权，建立无产阶级自己的阶级专政，并最终使无产阶级获得解放提供了理论武装。无产阶级的产生是阶级社会发展的产物，它的最初形态是被统治阶级而非统治阶级，因此，在无产阶级谋求解放的过程中，人类已经有的各种理论都不是为它服务的，都不能为它的最终解放提供思想武器。只有马克思主义承担起了为无产阶级谋解放担当理论指导的任务，而马克思主义理论中最直接承担这一任务的，便是无产阶级专政理论。

1848年革命之前，马克思和恩格斯就已经对无产阶级解放的理论有了相关的论述，提出了无产阶级专政的思想，但由于无产阶级还没有成为独立的阶级力量，还没有独立地登上历史舞台，所以马克思、恩格斯的论述也还停留在原则性论述的基础上，还没有根据工人运动的实际情况和无产阶级的实际需要，有针对性地提出“究竟应当怎样（从历史发展的观点来看）以无产阶级国家来代替资产阶级国家的问题”[①]。

革命的爆发及其展开，使马克思、恩格斯明确地提出了无产阶级专政的理论。正是在马克思、恩格斯关于无产阶级专政的理论指导下，1848年之后的无产阶级运动进入了新的阶段。工人阶级日益认识到无产阶级同资产阶级之间阶级对立的不可调和性和尖锐对抗性，认识到无产阶级夺取政权的必要性、重要性和紧迫性。面对夺取政权，恩格斯说道：“工人阶级根据自己的经验深深地相信，他们的地位要得到任何可靠

①《列宁选集》第3卷，人民出版社1995年版，第134页。

的改善，不能够依靠别人，而应当亲自争取，首先应当采取的办法是夺取政权。"①

无产阶级要赢得同资产阶级斗争的胜利，要最终解放自己，就必须非常清楚，在革命的过程中仅仅依靠自身的力量是远远不够的，必须学会利用一切可以利用的力量，团结一切可以团结的对象。在这些力量和对象中，农民阶级是最广泛、最重要的可以利用和团结的力量和对象。

如何利用和团结广大农民？马克思和恩格斯明确指出：建立工农联盟。在法国、德国等欧洲国家里，农民占有人口总数相当大的比例，且同样遭受资产阶级的剥削和压迫，因此，在革命进程中，不管这革命是资产阶级民主革命，还是无产阶级革命，革命的胜利都与农民的态度和参与有着直接的联系。有鉴于此，马克思和恩格斯提出了建立工农联盟的理论并以此指导无产阶级在同资产阶级的斗争中，在无产阶级革命过程中，同广大农民结成同盟军，推翻资产阶级政权，打碎资产阶级国家机器，建立无产阶级政权，实现无产阶级自己和全人类的解放。

恩格斯在《法兰西阶级斗争》的《导言》中明确指出："甚至在法国，社会主义者也日益认识到，除非预先把人口中的主体——在这里就是农民——争取过来，否则就不可能取得持久的胜利。"②

马克思关于建立工农联盟的思想不只是提出了无产阶级为自己找到同盟军的问题，而且还提出了无产阶级革命进程

---

①《马克思恩格斯全集》第7卷，人民出版社1959年版，第274页。

②《马克思恩格斯选集》第4卷，人民出版社2012年版，第394页。

中的领导权问题。马克思认为，1848年革命表明，由于利益和目标的不一致，资产阶级和小资产阶级都不能担当组织人民革命的领导者，而只有无产阶级才能担当这一责任。法国六月起义的失败进一步表明，无产阶级会赢得更广泛的支持，以无产阶级为领导核心的人民统一战线必然形成。

建立工农联盟不仅必要，而且可能。

一方面，社会生产力随着资本主义社会的建立和战胜封建社会而得到了长足发展，但农民的地位，尤其是经济状况却没有得到根本的改善，甚至有恶化的趋势。在法国，农民负债增加，一大半国民变成了原始人，官方统计的包括儿童在内的乞丐、游民、犯人和妓女就有400万人之多，另有500万人濒于死亡。广大农民或者居住在本地农村，或者带着破烂和孩子到处流浪，从农村到城市，又从城市到农村，“由此可见，农民的利益已不像拿破仑统治时期那样同资产阶级的利益、同资本相协调，而是同它们相对立了”①。

另一方面，农民逐渐认识到，他们同无产阶级有着共同的命运，都受着资本的剥削，因而有着共同的政治经济利益，因此，“只有资本的瓦解，才能使农民地位提高；只有反资本主义的无产阶级的政府，才能结束农民经济上的贫困和社会地位的低落”②。有了这样的认识，农民就会“把负有推翻资产阶级制度使命的城市无产阶级看做自己的天然同盟者和领导者”③，进而同无产阶级结成同盟，共同进行反抗资本的剥削，

①《马克思恩格斯选集》第1卷，人民出版社2012年版，第766页。

②《马克思恩格斯选集》第1卷，人民出版社2012年版，第526页。

③《马克思恩格斯选集》第1卷，人民出版社2012年版，第766页。

反对资产阶级的统治的斗争。

二、历史意义

马克思主义的创始人关心以无产阶级为代表的最广大人民群众的解放，创立了科学社会主义理论，这一理论的方法论是历史唯物主义。历史唯物主义作为分析社会矛盾及其发展的工具，在《德意志意识形态》中得以完成，在《共产党宣言》中进行了第一次试用并得到检验。自此之后，须要将马克思主义理论，尤其是其中的历史唯物主义理论，运用于对现实社会中所发生的政治、经济等事件展开分析，一方面证明马克思主义理论的科学性，另一方面使马克思主义理论同无产阶级相结合，更好地发挥理论指导实践的作用。

1848年—1850年的法兰西阶级斗争以及其后的巴黎公社很好地体现了这一点，它们既检验了历史唯物主义理论的科学性，也使马克思主义很好地同工人运动结合起来，真正成了无产阶级同资产阶级作斗争，赢得解放的思想武器，为无产阶级政党指导工人阶级同资产阶级作斗争的策略制定提供了样板，因而具有重要的历史意义。

（一）马克思主义与工人运动的初次结合

马克思主义之所以能在19世纪40年代诞生，最根本的原因是在这个时候，无产阶级开始了同资产阶级的政治斗争，并以独立的力量登上历史舞台。这也就表明，马克思主义理论同工人阶级之间有着密切的关系，必须紧密结合在一起。

1848年至1850年时期的法国，以及整个欧洲爆发的革命对马克思主义所提供的素材，对马克思主义历史唯物主义理论，尤其是历史唯物主义中关于革命和无产阶级解放的理论的验证，对马克思主义的丰富和发展起到了重要的推动作用。马克思主义对这场革命的经验总结，对无产阶级同资产阶级斗争的方法论指导和策略分析，为无产阶级的斗争和解放，以及对“当下”形势的分析，起到了理论指导的作用。两相结合，实现了马克思主义理论与工人运动的初次结合，为其后马克思主义理论与实际相结合，无产阶级在谋求解放的进程中必须为自己找到先进的理论指导，提供了光辉的典范。

马克思早在1845年就指出：“哲学家们只是用不同的方式解释世界，问题在于改变世界。”[①]在这里，马克思主义的创始人清楚地表明，理论在“解释”世界的同时，更为重要的，是必须能够“改变”世界，即必须同现实实际相结合，才会有生命力。既然如此，由马克思和恩格斯所创立的马克思主义理论，要想有实际的价值，要想有生命力，自然就必须同现实实际相结合。

马克思主义是关于无产阶级斗争和解放的理论，而无产阶级作为独立的阶级形成于19世纪中叶，因此，马克思主义要结合的现实，只能是19世纪中叶的实际情况。这一实际情况就是工人运动已经兴起，无产阶级同资产阶级的斗争已经展开。于是，马克思主义通过对1848年欧洲革命的分析，通过对其成功的经验和失败的教训的总结，实现了理论与实际的结合，实现了马克思主义理论同工人运动的结合。

这种结合，体现了马克思主义理论的“初心”，彰显了马克

①《马克思恩格斯选集》第1卷，人民出版社2012年版，第136页。

思主义理论的生命力。马克思通过对这场资产阶级性质的革命的分析表明，正是这场革命显现了无产阶级同资产阶级的根本对立，并成为资本主义社会的主要矛盾。如此一来，马克思主义理论就成为“得到大家公认的、透彻明了的、明确地表述了斗争的最终目标的理论”[①]。

1848年至1850年的法兰西阶级斗争表明，无产阶级同资产阶级的斗争，无产阶级要赢得斗争的最终胜利，无产阶级要解放自己进而解放全人类，其根本的方法就是无产阶级专政，必须推翻资产阶级政权，打碎资产阶级的国家机器，建立无产阶级政权。但要完成并实现这一目标，必须要有属于无产阶级自己的、先进的理论为指导。马克思主义理论自觉地适应、满足了无产阶级的需要，成了无产阶级获得解放的思想武器，从而实现了马克思主义与工人运动的结合。

从表面上看，无产阶级专政的实现似乎只有暴力革命、武装斗争一途，包括《法兰西阶级斗争》中大部分的分析和马克思主义的大量文献，都是如此分析和论述的。但是，如何看待《法兰西阶级斗争》的第四章《1850年普选权的废除》？马克思为什么要在讲斗争的时候谈到普选权？把一个明显不属于武装斗争的范畴纳入文献之中，有何意义？

其实，马克思的用意非常深刻。恩格斯在为《法兰西阶级斗争》所写的《导言》中明确指出，德国工人阶级政党的建立，德国工人是对工人阶级事业的“头一个重大贡献”，“第二个重大贡献”就是为世界各国的工人们提供了一件“新的武器”，而

①《马克思恩格斯选集》第4卷，人民出版社2012年版，第385页。

且这件武器是“最锐利的武器”中的一件武器，这件武器就是“应该怎样使用普选权”。[①]可见，非暴力方式的普选权，马克思和恩格斯是非常重视的，而且是一贯重视的。

恩格斯指出，早在《共产党宣言》里，就已经宣布“争取普选权、争取民主，是战斗的无产阶级的首要任务之一”[②]。普选权可以由资产阶级政府的欺骗的工具转变成为无产阶级的解放的工具。就算普选权没有这样的好处，它至少也可以成为每三年计算一次工人阶级的力量的工具。而且随着工人阶级投票数的增加，既加强了工人的“胜利信心”，又增加了资产阶级的“恐惧”，因此成了无产阶级“最好的宣传手段”。恩格斯讲到，普选权就算没有上述那么多好处，哪怕是只有下述这一样好处，也是“够多”的了，这个好处就是：可以通过选举提供无产阶级自身同敌对力量之间的“精确情报”，从而找到“衡量我们的行动是否适度的独一无二的尺子”[③]，“既可避免不适时的畏缩，又可避免不适时的蛮勇”[④]。

当然，选举权的好处事实上有很多。比如，在“竞选宣传”中，它给了无产阶级政党广泛接触群众的机会，也给了无产阶级政党充分表达自己意见和观点的机会。在“帝国国会”中，无产阶级政党有了“讲坛”，这可以比在报刊和集会上“更有权威和更自由得多”地向自己的对手和群众“讲话”，也就是充分利用资产阶级政府的舞台广泛形成无产阶级的主张，将更多更广泛的群众争取到、团结在自己周围。因此，普选权也就成了无产阶级的一种“崭新的斗争方式”。

---

① 参见《马克思恩格斯选集》第4卷，人民出版社2012年版，第388页。

②③④ 《马克思恩格斯选集》第4卷，人民出版社2012年版，第389页。

不过，恩格斯同时也明确地指出，在使用普选权和革命权时，无产阶级必须清楚地知道，“革命权是唯一的真正‘历史权利’——是所有现代国家无一例外都以它为基础建立起来的唯一权利”[①]。也就是说，革命权优于普选权，革命必须优于、先于普选。

恩格斯的话表明了马克思主义对待资本主义普选权的态度，也让工人阶级在同资本主义的斗争中有了明确的方向，真正做到了工人运动与马克思主义的有机结合。

（二）无产阶级政党进行斗争的策略

无产阶级同资产阶级的斗争是一个长期的过程，无产阶级获得解放，进而解放全人类的目标也不是一朝一夕就能实现的。因此，在同资产阶级的斗争中，就不能将其想象为一下子就能完成任务，而是要有斗争的策略，要考虑到必须经过漫长的斗争过程才能取得斗争的胜利。拥有并采取一定的斗争策略，经过漫长的斗争过程，赢得同资产阶级斗争的胜利，对这些主要思想的论述，恰好是马克思在《法兰西阶级斗争》里，在《新莱茵报》时期理论工作的重点。马克思的这些论述和思想，对于初期的无产阶级斗争，以及其后整个斗争过程都有着重要的历史意义。

革命在社会历史进程中有重要的作用，但革命的发生却有一定的条件。社会总是在发展，有急有缓，但革命却不总是发生。《法兰西阶级斗争》关注的是1848年的欧洲资产阶级民主革命，以及伴随其间的无产阶级革命。由于革命发生在不

---

①《马克思恩格斯选集》第4卷，人民出版社2012年版，第395页。

同时间里因而有着不同的性质，那么，对于无产阶级及其政党来说，只要革命同无产阶级相关联，就必须高度重视，给予认真的引导，使其不断朝着无产阶级革命的方向转化并进而成为完全的无产阶级革命。

根据形势的变化决定策略、调整策略，是马克思在《法兰西阶级斗争》中反复向无产阶级及其政党表明的基本思想。

比如，在欧洲革命的早期阶段，由于革命是资产阶级民主性质的革命，革命的对象是封建残余势力，因此，无产阶级就要同资产阶级一道，在革命进程中打败封建势力，赢得资本主义的胜利。但革命胜利之后，无产阶级的命运仍然是被剥削和被压迫的状况，因此无产阶级就必须奋起反抗，展开同资产阶级的斗争。但是，无产阶级在同资产阶级的斗争中，始终要保持清醒的头脑，必须认识到，这一斗争是漫长的过程，因此，必须要准备好长期斗争的策略。

比如，在斗争手段上，暴力革命式的武装斗争是主要的方式，但同时随着时间的推移，一些新的、过去没有过的方式会出现。无产阶级作为旧社会的掘墓人和新社会的代表者，必须能够并且善于利用一切有利于自己阶级的斗争手段，像马克思和恩格斯所说的，在自由资本主义阶段就利用普选权这样的斗争手段。

再者，对一些过去的斗争方式，须要在新的条件下重新认识并利用，比如街垒战。街垒战作为武装斗争手段，曾经是斗争的主要手段。但在有了更多选择的时候，比如在有了普选权的时候，由于街垒战在消灭敌人的同时也会让无产阶级受伤甚至牺牲，因此无产阶级就应该根据斗争的实际情况具体地选择斗争的手段。此时，无产阶级政党就必须要对形势作出清醒的判断，为无产阶级作出最佳的策略选择，以保证无产阶级以最小的代价获得最大的利益。

在无产阶级同资产阶级的漫长斗争历程中，一定会伴随着一次又一次的革命，正是这一次又一次的革命，才不断打击着资产阶级，使其越来越弱小，直至被打败，其专政权被无产阶级所取代；才不断锻炼着无产阶级，使其越来越强大，直至战胜资产阶级。

因此，在这进程中，无产阶级必须懂得不断革命的道理，无产阶级政党必须带领无产阶级不断展开革命。这就在无产阶级政党的革命策略理论中孕育出"不断革命"的理论。马克思在《法兰西阶级斗争》以及整个《新莱茵报》时期，都对这一问题进行了高度的关注和全面的论述。

在马克思主义发展的不同时期，"不断革命"的含义稍有不同。在资产阶级革命中，不断革命指的是要彻底推翻封建制度，战胜封建阶级，实现资本主义。在无产阶级同资产阶级的斗争中，无产阶级必须把资产阶级民主革命进行到底，并不停顿地过渡到无产阶级革命。这一点，是马克思主义"不断革命"理论的主要含义。

马克思指出，无产阶级一定要参加推翻封建制度的资产阶级民主革命，因为这个革命是"工人革命的前提"。但无产阶级又不能仅仅停留在这个革命上，"工人丝毫也不能把资产阶级革命当做自己的最终目的"[①]，而是相反，资产阶级革命只

①《马克思恩格斯全集》第4卷，人民出版社1958年版，第347页。

是无产阶级革命的"直接序幕"。

通过对1848年革命的分析，马克思更加清楚地认识到，改良或者企图尽快结束革命的小资产阶级思想，对于无产阶级来说都是不可取的。无产阶级唯有不断革命一途可走，"直到把一切大大小小的有产阶级的统治全都消灭，直到无产阶级夺得国家政权，直到无产者的联合不仅在一个国家内，而且在世界一切举足轻重的国家内都发展到使这些国家的无产者之间的竞争停止，至少是发展到使那些有决定意义的生产力集中到了无产者手中"[①]。因此，对于无产阶级来说，"问题不在于改变私有制，而只在于消灭私有制，不在于掩盖阶级对立，而在于消灭阶级，不在于改良现存社会，而在于建立新社会"[②]。

很清楚，"不断革命"的目的就是要把资产阶级革命进行到底，然后在资本主义社会中进行无产阶级革命。无产阶级革命同资产阶级革命有本质的区别，它是一场伟大的社会政治革命，是用新的社会经济制度代替资本主义旧制度，是一种彻底的社会发展观，有着十分重要的历史意义。

延伸阅读

（1）习近平：《在纪念马克思诞辰200周年大会上的讲话》，人民出版社2018年版。

（2）列宁：《卡尔·马克思》，《列宁选集》第2卷，人民出版社1995年版。

①《马克思恩格斯选集》第1卷，人民出版社2012年版，第557页。

②《马克思恩格斯选集》第1卷，人民出版社2012年版，第557—558页。

深度思考

（1）马克思主义为什么要同工人运动相结合？

（2）马克思主义是如何同工人运动相结合的？

（3）《法兰西阶级斗争》的理论意义和历史意义何在？

Reading & Interpretation
大家写小书·马恩经典著作新读

第四章

新时代重读《法兰西阶级斗争》的现实意义

一、为分析当下社会事件提供方法论的指导

恩格斯在为《法兰西阶级斗争》所写的《导言》中明确指出，对于某一时期所发生的社会事件的"清晰的概况"，即理论的分析和揭示，总是滞后于事件发生的时间。因此，一般的研究进程应该是这样的：某一社会历史事件发生，经过一段时间，在广泛汇集事件经过的基础上进行研究，并依据一定的理论进行分析归纳，得出研究结论。

但是，马克思对1848年至1850年时期的法兰西阶级斗争的分析研究则不是按照上述一般进程进行的，而是在事件发生的同时就展开了对事件的分析和研究。这是对马克思理论水平的检验，也是对历史唯物主义理论的科学性的验证。

马克思在从事这一工作时虽然面临一系列的不利条件，但是，"由于马克思准确了解法国在二月革命以前的经济状况以及这个国家在二月革命以后的政治事件"[①]，所以他能够完成这一历史重任，能够对当下发生的历史事变作出准确的"叙述"。

马克思在这一"叙述"中对事变的"内在联系"所作的揭示"达到了至今还无人达到的程度"，也"光辉"地经受住了马克思在后来进行的两度检验。马克思立足于历史唯物主义的基本理论对当下发生的社会事件的科学分析，为后世的马克思主义者们在分析社会主义发展进程中的各种事变提供了属于样板式的"工程"，更为分析、认识中国特色社会主义发展进程中的各种事变提供了方法论的指导。

---

①《马克思恩格斯选集》第4卷，人民出版社2012年版，第379页。

开创社会主义理论，是马克思主义创立者的创新。马克思和恩格斯正是通过自己创立的历史唯物主义科学理论，对资本主义社会的生产和发展过程进行科学、翔实的分析，在确立人类社会发展规律的基础上，明确指出共产主义社会是人类社会发展的最高理想，而社会主义社会则是共产主义社会的低级发展阶段。

让社会主义从理论走向实践，同时成为一种社会制度，是列宁的创举。这不但实现了马克思所倡导的哲学家们不仅要解释世界，更要改变世界的主张，也使马克思主义从理论走向实践，实现了理论与实践的结合。

使马克思主义的基本原理同中国革命和建设的具体实际相结合，实现马克思主义的中国化，是以毛泽东为代表的中国共产党人的理论创新。这一创新，为社会主义在中国的发展开辟了广阔的天地。

在中国推行改革开放的政策，使社会主义走出一条适合中国发展特色的道路，是以邓小平为代表的中国共产党人的又一次理论创新。它为中国特色社会主义的形成，在理论上和实践上都打下了坚实的基础。

从马克思、恩格斯，到列宁，到毛泽东，到邓小平，都是在社会发展的广阔背景下作出宏大历史叙述，这些叙述，为当代的马克思主义者叙述21世纪的当代背景，叙述中国特色社会主义在21世纪的发展，提供了方法论的指导。

进入21世纪，人类社会的发展发生了天翻地覆的变化，各方面的情况发生了根本性的改变。面对这种新情况，习近平准确指出："放眼世界，我们面对的是百年未有之大变局。"[1]这种"大变局"在国际和国内都表现得十分充分。大变局也是大机会，在世界处于百年未有之大变局的时候，中国也正处于近代以来最好的发展时期，两者同步交织、相互激荡，对中国的发展既提出了挑战，也积聚了巨大的机会。

面对这一"大变局"，以习近平为代表的新一代中国共产党人牢牢抓住机会，从马克思主义的基本理论出发，在带领中国人民进行中国特色社会主义建设事业伟大实践的同时，也丰富和创新了马克思主义的基本理论，形成了习近平新时代中国特色社会主义思想。

习近平新时代中国特色社会主义思想的形成和提出，不仅是马克思主义在21世纪发展的最新成果，更是分析和认识当下各种新情况，找到解决各种新问题的方法论。习近平指出，"我们要根据时代变化和实践发展，不断深化认识，不断总结经验，不断进行理论创新，坚持理论指导和实践探索辩证统一，实现理论创新和实践创新良性互动，在这种统一和互动中发展21世纪中国的马克思主义"[2]。

二、为新时代开展伟大斗争提供策略参考

进入21世纪，尤其是自党的十八大以来，中国特色社会主义进入新时代。"这个新时代是中国特色社会主义新时代，而不是别的什么新时代。"[3]因此，无论开展哪一项工作，都必须

---

①《习近平谈治国理政》第3卷，外文出版社2020年版，第421页。

② 习近平：《辩证唯物主义是中国共产党人的世界观和方法论》，《求是》2019年第1期，第8页。

③《习近平谈治国理政》第3卷，外文出版社2020年版，第70页。

坚持以习近平新时代中国特色社会主义思想为指导，充分考虑并依据中国特色社会主义的实践特色和实际道路，利用一切条件和手段，在新时代展开赢得中国特色社会主义伟大胜利的伟大斗争，以及为开展这一斗争提供斗争策略。

新时代有许多新特点，在新时代开展伟大斗争须要从新时代的实际出发，考虑国内外实际情况展开斗争并制定相应的斗争策略。习近平指出，全党全国人民必须“深刻认识和准确把握外部环境的深刻变化和我国改革发展稳定面临的新情况新问题新挑战，坚持底线思维”[①]，如此方能将新时代中国特色社会主义事业做大做强做好。

斗争是具体的，须要根据不同的时间和地点，以及任务的不同来制定具体的斗争方式，但拥有斗争精神和斗争策略却是必须事先具备的基本要求。要夺取新时代中国特色社会主义的伟大胜利，须要有“充沛顽强的斗争精神”，这种精神对领导干部的要求是“敢于担当、敢于斗争，保持斗争精神、增强斗争本领”，对年轻干部的要求是“要到重大斗争中去真刀真枪干”，对各级领导班子以及班子中的干部的要求是“要加强斗争历练，增强斗争本领，永葆斗争精神”，唯有如此，在面对各种风险和挑战时，才能够从容应对，敢于斗争。

马克思主义的产生和发展过程充满着“斗争的艰辛”，马克思主义创始人如果不是敢于并善于斗争，无产阶级争取解放的理论也就无从产生。在《法兰西阶级斗争》一书中，马克思以“不断革命”的主张号召并要求无产阶级直到赢得解放之

①《习近平谈治国理政》第3卷，外文出版社2020年版，第219页。

前都要进行革命，同一切阻碍无产阶级获得解放的势力展开坚决的斗争。对于无产阶级来说，赢得无产阶级解放的无产阶级革命是一个漫长的、不断展开的过程。在这个过程中，革命会有高潮、有低谷，因而无产阶级必须在这种不断更换形式的进程中始终坚持恰当、合理的战略策略，既要有无产阶级革命不断发生、不可避免的战略准备，又要不断更换、不断改变战略策略。这种“不断革命”的主张对于已经全面建成小康社会、已经完成“两个一百年”目标中第一个一百年目标的中国共产党人和中国人民来说，有着极为重要的借鉴意义。

无产阶级是在斗争中成长、发展壮大的，中国共产党人和中国人民，尤其是领导干部，也必须在社会主义建设的伟大斗争中发展壮大自己，舍此别无其他成长之路。无产阶级在斗争进程中必须要有自己的理论指导和政治领导，中国人民在中国特色社会主义建设进程中，在中国特色社会主义现代化建设进程中，也要有自己的理论指导和政治领导。理论指导就是马克思主义中国化的最新成果，就是21世纪中国的马克思主义，就是习近平新时代中国特色社会主义思想。政治领导就是中国共产党的领导。

新时代开展伟大斗争，除了自然斗争和社会斗争外，也包括同否定理论指导和政治指导的错误思潮的斗争。习近平指出，“斗争精神、斗争本领，不是与生俱来的”①，“要经受严格的思想淬炼、政治历练、实践锻炼，在复杂严峻的斗争中经风雨、见世面、壮筋骨”②。如此，才能将自己锻造成“烈火真金”，真

①②《习近平谈治国理政》第3卷，外文出版社2020年版，第227页。

正做到理论上清醒，政治上坚定，斗争起来才会有底气、有力量。

斗争是一门艺术，因此必须学会善于斗争。马克思在《法兰西阶级斗争》中所指出的无产阶级在同封建势力作斗争时就必须同资产阶级一道联合作战，而在同资产阶级作斗争时就必须主要依靠自己，同时建立工农联盟，这既是斗争的策略，也是对斗争艺术的灵活运用。在新时代的各种重大斗争中，同样必须讲究斗争策略和斗争艺术。习近平指出："我们要坚持增强忧患意识和保持战略定力相统一、坚持战略判断和战术决断相统一、坚持斗争过程和斗争实效相统一。领导干部要守土有责、守土尽责，召之即来、来之能战、战之必胜。"①在斗争艺术和斗争策略上，还必须十分注重斗争方法。要做到因时因地制宜，要以抓住主要矛盾和矛盾的主要方面为目标，做到有礼有节，灵活合理地选择斗争方式，既不简单照抄照搬书本理论而流于教条主义，也不完全依赖已有经验成为经验主义。

《法兰西阶级斗争》留给后世的还有一个可借鉴的地方是在斗争方式的选择上。在书中，马克思主要讲到了暴力革命、武装斗争的方式，认为这是无产阶级同资产阶级，同一切反动势力作斗争的主要方式和工具，但同时也讲到了非暴力的选举方式，并认为资产阶级性质的普选权同时也可以是无产阶级的一件"新的武器"，是无产阶级的"一种崭新的斗争方式"。马克思还谈到了一种独特的战斗方式：街垒战。街垒战

① 《习近平谈治国理政》第3卷，外文出版社2020年版，第227页。

是一种古老的战争方式，它适用于街道狭窄、短小的城市里的战斗，而对于“又长、又直、又宽”的街道和广大的乡村来说，几乎没有用武之地和实际意义。因此，街垒巷战虽然还是有它的作用，但却不能将其视作革命的主要工具。

今天，中国共产党人和中国人民所要进行的各种斗争，主要对象仍然是自然界和社会两大方面。在同自然界的斗争中，我们必须尊重科学，充分利用科学方法和手段，以赢得同自然界斗争的胜利。在社会斗争中，由于社会形势的复杂多变，要求我们在方式方法上，面对不同的社会环境，在国内和国外分别使用不同的方法和手段，以争取斗争的全面胜利。

三、为无产阶级政党提供思想武器

无产阶级政党是为着实现无产阶级的根本解放而建立的由无产阶级中的先进分子所组成的一个集团，它拥有先进性、革命性等众多优点，因而能够起到示范、引领的作用。无产阶级政党要完成这一历史重任，首先必须在思想上武装、强大自己，在行动上准确认识、把握时代脉搏和方向。在这一点上，马克思在《法兰西阶级斗争》中为后世树立了光辉的典范。

理论上，要求无产阶级必须用先进的思想武装强大自己。众所周知，人类在其漫长的发展进程中虽然积累了大量的优秀思想文化成果，为人类的进步作出了巨大的贡献，但在社会历史观上，却一直是唯心主义的，就连在自然观上是唯物主义的思想家，一旦进入社会历史领域之后，也变成了唯心主义的了。

这样的情形造成的后果就是：以往的思想只能是统治阶

级的思想，被统治阶级找不到解放的出路，看不到解放的希望；由于缺乏历史辩证法，总是将某种形态的私有制社会看作是必然的，因而缺乏历史进步的基本观念；由于历史观上的唯心主义，认为历史是由少数人创造的，因而无法看到大多数处于社会最底层的劳动者（在资本主义社会，就是无产阶级）在历史发展中的决定性作用；在资本主义已经成为完全的社会形态之后，不是认为资本主义社会是人类社会的最理想状态，就是压根儿看不到无产阶级的存在以及在资本主义社会发展过程中的重要历史作用，比如黑格尔。

马克思主义则恰恰相反。马克思主义的创始人在对资本主义社会的分析批判过程中，揭示了人类社会发展的历史规律，分析了资本主义社会存在和发展的历史必然性，指出了无产阶级获得解放的可能性，进而创立了代表无产阶级的科学理论——历史唯物主义。

马克思和恩格斯在《德意志意识形态》中创立了历史唯物主义新世界观，在《共产党宣言》中初次运用，就准确地“大略地说明了全部近代史”，接着就在包括《法兰西阶级斗争》在内的《新莱茵报》时期的一系列文章中，继续运用历史唯物主义“这个理论”来分析解释“当时发生的政治事件”，并将这些政治事件的发生归结为“最终是经济原因的作用”。[①]马克思和恩格斯，主要是马克思的这一系列的工作，既验证了历史唯物主义理论的科学性，也准确地分析了无产阶级在19世纪40，50年代同资产阶级进行斗争的特点，指明了应该怎样同资产

① 参见《马克思恩格斯选集》第4卷，人民出版社2012年版，第378页。

阶级展开斗争，以及无产阶级政党在领导无产阶级革命进程中的战略策略。这些战略策略对马克思主义在21世纪的发展，以及21世纪马克思主义对社会主义，尤其是中国特色社会主义的发展，有着重要的指导意义。

无产阶级政党必须运用历史唯物主义的基本原理对当下发生的事件展开分析，不拘泥于已有的理论，也不完全抛弃理论，而是找到事件发生的根本原因，进而指导无产阶级如何开展同资产阶级的斗争。像马克思对1848至1850年法兰西阶级斗争的具体进程所分析的，无产阶级可以同资产阶级一道，同封建势力进行斗争，以保证资本主义制度在欧洲的全面建立。而在资本主义制度确立之后，无产阶级又必须同资产阶级展开斗争。只有这一斗争才能赢得无产阶级的最终解放，这个斗争过程是一个不断革命的过程。无产阶级政党在指导无产阶级同资产阶级作斗争的过程中，必须随时随地根据变化了的实际情况制定、调整斗争的策略。

在马克思主义发展史上，列宁、毛泽东正是根据资本主义发展到帝国主义的实际情况，及时地调整无产阶级的斗争策略，从而实现了资产阶级民主革命向无产阶级社会主义革命的转变。邓小平正是根据世界进入和平与发展为主流的时期，及时调整中国社会主义的发展策略，走改革开放的发展道路，不但使社会主义建设取得了巨大的成就，而且中国特色社会主义制度也在中国确立。进入21世纪，面对百年未有之大变局的全新形势，以习近平同志为核心的党中央，以马克思主义学习型政党的姿态，努力学习马克思主义理论，提高自身的理论水平和执政能力；同时积极探索马克思主义在新时代的新发展，使习近平新时代中国特色社会主义思想成为21世纪马克思主义的最新成果。

实践上，以习近平为核心的党中央本着敢“啃硬骨头”，发扬共产党人顽强斗争的精神，采用顶层设计的方略推行改革开放不断深化，既解决国内发展中的深层次问题，也有效应对国际社会的全新挑战，不但将马克思主义的发展引入21世纪，而且带领中国人民在社会主义大道上奋勇前进，取得了前所未有的成就，创造了前无古人的伟业，克服千难万险，展现了一个马克思主义政党的风采和能力。中国共产党的这种精神特质，马克思在《法兰西阶级斗争》中就已经清楚地揭示出来了。马克思在书中所表现出来的将革命进行到底、坚定立场排除万难、敢于斗争的勇气，以及革命必胜的信念，都是伟大革命精神的重要体现。

今天，整个世界正面临百年未有之大变局，中国特色社会主义现代化建设正如火如荼进行，中华民族伟大复兴的中国梦的实现之日正日益接近。到了紧要关头，斗争将会日益激烈。此时，重温马克思《法兰西阶级斗争》一书，对于正处在伟大斗争征途中的中国共产党、中国人民、中华民族，坚持马克思主义的理论指导，坚定斗争意志，坚持正确斗争策略，提高斗争本领，具有重要的现实启发意义。

延伸阅读

（1）习近平：《不断开辟当代中国马克思主义、二十一世纪马克思主义新境界》,《习近平谈治国理政》第3卷,外文出版社2020年版。

(2) 韩喜平、张延曼:《实现伟大梦想必须进行伟大斗争——〈1848年至1850年的法兰西阶级斗争〉的新时代解读》,《中共中央党校(国家行政学院)学报》2020年第2期,第35—42页。

(3) 孙乐强:《〈1848年至1850年的法兰西阶级斗争〉导读》,江苏人民出版社2019年版。

深度思考

(1) 新时代为什么仍然要学习《法兰西阶级斗争》一书?

(2)《法兰西阶级斗争》中对于无产阶级的斗争精神的论述与共产党人的敢于斗争、善于斗争之间有何契合之处?

(3) 21世纪马克思主义在马克思主义发展史中处于何种地位?

后　记

中国特色社会主义的领导者是中国共产党，中国共产党是马克思主义政党，马克思主义政党的理论指导必须是马克思主义，因此，系统地、深入地学习、弄通马克思主义的基本原理就是中国特色社会主义建设中一件重要的事情。列宁对认真学习马克思主义的基本理论有过明确的论述。毛泽东同志早在1938年就指出，“如果我们党有一百个至二百个系统地而不是零碎地、实际地而不是空洞地学会了马克思列宁主义的同志，就会大大地提高我们党的战斗力量”①。习近平同志也明确地指出，“中国共产党之所以能够历经艰难困苦而不断发展壮大，很重要的一个原因就是我们党始终重视思想建党、理论强党”②。十九届六中全会通过的《中共中央关于党的百年奋斗重大成就和历史经验的决议》（以下简称《决议》）中，第三条历史经验就是“坚持理论创新”。这里的“理论”指的就是马克思主义理论。《决议》指出，党之所以能够领导人民在一次次求索、一次次挫折、一次次开拓中完成中国其他各种政治力量不可能完成的艰巨任务，其中最重要的就是能够理论创新，能

①《毛泽东选集》第2卷，人民出版社1991年版，第533页。

②《习近平谈治国理政》第3卷，外文出版社2020年版，第74页。

够把马克思主义的普遍原理同中国的具体实际相结合。[①]有鉴于此，学习马克思主义基本理论，从经典原著着手学习、掌握并运用马克思主义的基本理论，是我们必须学会的本领。

进入21世纪，尤其是党的十八大以来，中国特色社会主义进入新的发展时期，中国面临着复杂多变的国际国内环境，百年未有之大变局给中国既带来了巨大的挑战，也带来了广阔的发展机会。如何抓住这一艰难复杂的战略机遇期，把中国特色社会主义事业推向新的、更高的发展阶段，这同中国共产党、中国人民的理论水平有直接的关系。认真学习马克思主义理论，从马克思主义创始人那里，从经典作家的经典著作中学习理论，汲取养料，积蓄力量，学会观察、思考、分析，学会斗争，做到敢于斗争、善于斗争，并争取斗争的胜利，是每一个中国共产党党员，每一个中国人，都必须学会、掌握并能运用的本领。

正是基于上述理论与实践的考虑，红旗出版社组织了"大家写小书·马恩经典著作新读"丛书的编写，笔者承担了本书的撰写工作。笔者在认真阅读马克思原著的基础上，仔细参阅恩格斯的《导言》、列宁对马克思主义基本思想的表述、国内同行的研究分析，历时半载，终成此小书。

《法兰西阶级斗争》是马克思在《新莱茵报。政治经济评论》上发表的一组文章的辑刊，其出版时间可以从1849年算起，到恩格斯1895年出版该著作的最后版本，时间跨度将近50年。本书是马克思继《共产党宣言》之后，运用其所创立的

① 参见《中共中央关于党的百年奋斗重大成就和历史经验的决议》，人民出版社2021年版，第66—67页。

历史唯物主义理论分析社会历史现象的又一次尝试。考虑到《共产党宣言》是当时对近代以来的世界历史的分析，《法兰西阶级斗争》可说是第一次运用历史唯物主义对“当下”发生的社会历史现象的分析。在这些分析论述中，马克思既验证了历史唯物主义的科学性，也为无产阶级获得最终的解放指明了斗争的方式和方向。

从《法兰西阶级斗争》成书至今，一个多世纪过去了，虽然资本主义制度仍然存在并拥有较为强大的力量，但其影响正在下降，社会主义也从理论走向现实，有了理论、制度、道路三重意义上的社会主义，中国特色社会主义全面确立，中国特色社会主义现代化新征程已经全面开启。此时重读《法兰西阶级斗争》，重温马克思的谆谆教诲，站在新时代的新高度理解马克思的深刻寓意和良苦用心，重新认识其思想内涵并探讨其新时代价值，无疑有着重要的意义。

本书的完成，首先离不开学界前辈和同仁的已有成果，正是在大量参阅他们的研究成果的基础上，才得以完成本书，在此谨致以真诚的谢意。该书的写作得到了重庆市社会科学规划项目2021TBWT-ZD02的支持。由于理论水平和时间所限，本书难免存在不尽如人意之处，敬请专家同仁和广大读者批评指正！

张邦辉

2021年12月于重庆大学民主湖畔